Erich Garhammer / Franz Weber (Hg.)

Scheidung – Wiederheirat – von der Kirche verstoßen?

Für eine Praxis der Versöhnung

ERICH GARHAMMER / FRANZ WEBER (HG.)

Scheidung – Wiederheirat – von der Kirche verstoßen?

Für eine Praxis der Versöhnung

echter

PATRIS VERLAG

Gewidmet
Matthäus Kaiser
(1924–2011)
Professor für Kirchenrecht
in Passau, Bochum und Regensburg

Inhalt

Erich Garhammer

Wider das vertikale Schisma

Im Jahre 1977 legte der Tübinger Dogmatiker Walter Kasper eine Theologie der christlichen Ehe vor. In seinem Vorwort gab er zu erkennen, dass seine Überlegungen aus Vorträgen zu verschiedenen Anlässen, aus der Tätigkeit in der Würzburger Synode und als Berater und Gutachter der Deutschen Bischofskonferenz hervorgegangen sind. Das Buch bot also mehr als nur eine theologische Erkenntnis am Schreibtisch, es war durch die Rezeption unterschiedlichster Gremien hindurchgegangen und gutgeheißen.

Kasper hielt fest: „Es ist auffallend, dass das Problem der Ehescheidung in der Vergangenheit immer beim Übergang der Kirche in einen neuen Kulturkreis und in eine neue Epoche aufbrach: Bei Matthäus und Paulus, beim Übergang zu juden-christlichen und heiden-christlichen Gemeinden, bei Origenes und Basilius, beim Übergang zur Groß- und Volkskirche, im frühen Mittelalter beim Übergang von der spätantiken zur germanischen Welt und im 16. Jahrhundert beim missionarischen Vorstoß aus dem abendländischen Kulturraum auf den asiatischen und südamerikanischen Kontinent.“[1]

Ehe in Zeiten des Übergangs

Heute steht die Kirche in einem ähnlichen Übergang: dem Übergang von einer Welt, in der die Kirche das Deutungsmonopol beanspruchte und innehatte, in eine Welt, in der sie nach dem Zweiten Vatikanischen Konzil zu einer lernenden Kirche geworden ist.

Es zeigt sich jedoch gerade am Beispiel der wiederverheirateten Geschiedenen, dass das Lehramt der Kirche bisher viel zu wenig in die Lernschule menschlicher Erfahrungen angesichts des Scheiterns von Ehen gegangen ist. „Nicht wenige Seelsorger und Theologen, zu denen auch der Verfasser gehört, sind der Meinung, dass die geltenden kirchenrechtlichen Bestimmungen in der gegenwärtigen Situation keine befriedigenden Instrumentarien für pastorale Hilfen bieten."[2] Kasper erinnert an die Praxis der Ostkirche, die vom Trienter Konzil nicht verworfen wurde, sowie an die Praxis Jesu, der jedem Menschen, gerade auch im Scheitern, Möglichkeiten des Heils anbietet. So ist nach Auffassung von Kasper eine Zulassung wiederverheiratet Geschiedener zur Eucharistie möglich, wenn begangene Schuld bereut und nach Kräften gutgemacht, wenn alles Menschenmögliche getan wurde, um zu einer Versöhnung mit dem ersten Partner zu kommen, und wenn die zweite Ehe zu einer sittlich verpflichtenden Verbindung geworden ist, die nicht ohne neues Unrecht wieder gelöst werden kann. Die Kirche hat die Treue Jesu zu allen Menschen jenseits von Rigorismus und Laizismus zu bezeugen.

Lehramtliche Praxis wird nicht mehr verstanden

Papst Johannes Paul II. hat im „Apostolischen Schreiben *Familiaris Consortio* Über die Aufgaben der christlichen Familien in der Welt von heute“ (1981) die Hirtensorge für die wiederverheiratet Geschiedenen angemahnt: „Die Kirche, die dazu gesandt ist, um alle Menschen und insbesondere die Getauften zum Heil zu führen, kann diejenigen nicht sich selbst überlassen, die eine neue Verbindung gesucht haben, obwohl sie durch das sakramentale Eheband schon mit einem Partner verbunden sind. Darum wird sie unablässig bemüht sein, solchen Menschen ihre Heilsmittel anzubieten. Die Hirten mögen beherzigen, dass sie um der Liebe willen zur Wahrheit verpflichtet sind, die verschiedenen Situationen gut zu unterscheiden. Es ist ein Unterschied, ob jemand trotz aufrichtigen Bemühens, die frühere Ehe zu retten, völlig zu Unrecht verlassen wurde oder ob jemand eine kirchlich gültige Ehe durch eigene schwere Schuld zerstört hat. Wieder andere sind eine neue Verbindung eingegangen, im Hinblick auf die Erziehung der Kinder, und haben manchmal die subjektive Gewissensüberzeugung, dass die frühere, unheilbar zerstörte Ehe niemals gültig war. Zusammen mit der Synode möchte ich die Hirten und die ganze Gemeinschaft der Gläubigen herzlich ermahnen, den Geschiedenen in fürsorgender Liebe beizustehen, damit sie sich nicht als von der Kirche getrennt betrachten, da sie als Getaufte an ihrem Leben teilnehmen können, ja dazu verpflichtet sind.“[3] Der Mahnung zur pastoralen Sorge um die wiederverheirateten Geschiedenen folgt aber dann die unmissverständliche Äußerung: „Die Kirche bekräftigt jedoch ihre auf die heilige Schrift gestützte Praxis, wiederverheiratete Geschiedene nicht zum eucharistischen Mahl zuzulassen. Sie können nicht zugelassen werden; denn der Lebensstand und ihre Lebensverhältnisse stehen in objektivem Widerspruch zu jenem Bund der Liebe zwischen Christus und der Kirche, den die Eucharistie sichtbar und gegenwärtig macht. Darüber hinaus gibt es noch einen besonderen Grund pastoraler Natur: Ließe man solche Menschen zur Eucharistie zu, bewirkte dies bei den Gläubigen hinsichtlich der Lehre der Kirche über die Unauflöslichkeit der Ehe Irrtum und Verwirrung."[4]

Mittlerweile hat sich aber das Argument umgedreht. Gerade die jetzige Praxis der Kirche in Bezug auf die wiederverheirateten Geschiedenen ruft Unverständnis und Verwirrung hervor. Sie wird nicht mehr akzeptiert. Dieses Dilemma zwischen Lehre und Praxis hat zu großen Zerreißproben in den letzten 30 Jahren geführt. Zum einen wird immer wieder die verständnisvolle Haltung gegenüber den wiederverheirateten Geschiedenen angemahnt, zum anderen der unmissverständliche Ausschluss von der Eucharistie gefordert und praktiziert. Von vielen, gerade auch gläubigen und der Kirche verbundenen Menschen wird diese Haltung als zynisch empfunden: Es ist die Rhetorik einer billigen Sympathie, die sich diese Sympathie aber nichts kosten lässt.

Lösungsvorschlag 1: Der Kirchenrechtler Matthäus Kaiser

Auf diesem Hintergrund sind gerade die Theologen nicht müde geworden, eine andere Praxis vorzuschlagen und auch theologisch zu ermöglichen. Einer der Vorreiter in dieser Frage war der Regensburger Kirchenrechtler Matthäus Kaiser. Er hat 1983 sein Buch „Geschieden und wiederverheiratet" vorgelegt.[5] Darin hat er ausführlich die Ehelehre des

Zweiten Vatikanischen Konzils entfaltet, die die Ehe als Bund begreift. Das Zweite Vatikanische Konzil hat nicht ein neues Eheverständnis erfunden, sondern das biblische erneuert. Nach dem Verständnis der Konzilsväter ist die Ehe nicht ein Rechtsverhältnis zwischen zwei Partnern, das in dem gegenseitigen Recht zur geschlechtlichen Vereinigung besteht, das sich die Partner bei der Eheschließung übertragen haben. Vielmehr versteht das Konzil die Ehe als personale Lebens- und Liebesgemeinschaft von Mann und Frau, die sich gegenseitig als Person schenken und von Gott zu einer neuen Wirklichkeit verbunden werden. Damit ist die traditionelle Ehezwecklehre aufgegeben, nach der die Zeugung der Nachkommenschaft Hauptzweck der Ehe sei. Daraus ergibt sich: Wenn zwischen geschiedenen Partnern keine personale Verbindung mehr besteht, haben sie auch kein Recht mehr zur geschlechtlichen Vereinigung, die immer Ausdruck der personalen Einheit sein soll. Eine neue geschlechtliche Vereinigung als Ausdruck einer neuen personalen Lebens- und Liebesgemeinschaft verletzt also nicht das Recht des früheren Gatten und ist auch nach dem neuen Eheverständnis nicht als außereheliche Geschlechtsbeziehung zu betrachten. Somit hat jeder geschiedene Wiederverheiratete wie jeder Christ sich gewissenhaft zu entscheiden, ob er bei der Mitfeier der heiligen Messe die Eucharistie empfangen darf oder ob er sich einer schweren Sünde bewusst ist, die ihn von der Kommunion abhält. Wer auf Grund gewissenhafter Selbstprüfung zu der Überzeugung kommt, eine neue Ehe mit einem anderen Partner eingehen oder eine bereits eingegangene fortsetzen zu dürfen, ist auch nach der Wiederheirat nicht am Empfang vom Sakrament gehindert. Es gilt nämlich, was Papst Pius X. in seinem Dekret von 1905 über die tägliche Kommunion erklärt hat: Nur schwere Sünde hält von der hl. Kom-

munion ab. Wer dagegen im Stand der Gnade ist und in frommer Absicht kommunizieren will, darf nicht davon abgehalten werden. Er kann in Frieden mit der Kirche leben, auch wenn er geschieden und wiederverheiratet ist.
Diese Position von Matthäus Kaiser ist deshalb wichtig, weil er als Regensburger Kirchenrechtler seinen Freund und Kollegen, den Dogmatiker Joseph Ratzinger und jetzigen Papst Benedikt XVI. damit beeinflussen konnte, wie er mir einmal in einem Gespräch erzählt hat. Der heute immer wieder zitierte Vortrag von Joseph Ratzinger an der Katholischen Akademie in München im Jahr 1972 ist ein Zeugnis davon. In diesem Vortrag hält Ratzinger fest: Wenn sich die zweite Ehe als sittliche Größe bewährt hat und im Geist des Glaubens gelebt wird, so lässt die Barmherzigkeit Gottes nach Auffassung von Basilius die Buße nicht unbeantwortet. Die Eröffnung der Kommuniongemeinschaft nach einer Zeit der Bewährung ist dann mehr als gerecht und voll auf der Linie der kirchlichen Überlieferung. „Wo eine erste Ehe seit langem auch in einer für beide Seiten irreparablen Weise zerbrochen ist; wo umgekehrt eine hernach eingegangene zweite Ehe sich über einen längeren Zeitraum hin als eine sittliche Realität bewährt hat […], da sollte […] die Zulassung der in einer solchen zweiten Ehe Lebenden zur Kommunion gewährt werden.“[6]

Lösungsvorschlag 2: Die Oberrheinischen Bischöfe

Diese Erkenntnisse aus der Theologie zum einen und die nach wie vor unbefriedigende Praxis zum anderen waren der Hintergrund für den Vorstoß der oberrheinischen Bischöfe Oskar Saier, Karl Lehmann und Walter Kasper im Jahre 1993 zur seelsorgerlichen Begleitung von Menschen aus zerbrochenen Ehen, Geschiedenen und wiederverheirateten Geschiedenen. Es standen dahinter auch die Forderungen der Diözesansynode von Rottenburg-Stuttgart, des Freiburger Diözesanforums und der Diözesanversammlung im Bistum Mainz.

Der Brief

In ihrem Hirtenwort schreiben die drei Bischöfe: „Von der Kirche und der Gemeinde fühlen sich die Geschiedenen und die wiederverheirateten Geschiedenen meist nicht verstanden und mit ihren Problemen allein gelassen. Viele glauben sich diskriminiert, ausgestoßen, ja verdammt. Die kirchlichen Vorschriften und Regelungen können sie nur schwer oder meist überhaupt nicht akzeptieren; sie erleben sie als unverständliche Härte und Unbarmherzigkeit. Diese Situation ist eine ernste Anfrage an die Kirche. Wir müssen uns fragen, wie wir den Geschiedenen und wiederverheirateten Geschiedenen in ihrer schwierigen menschlichen Situation die Nähe Gottes glaubwürdig bezeugen können."[7] Eine einfache und glatte Lösung könne es dabei allerdings nicht geben.
In den Grundsätzen für eine seelsorgerliche Begleitung wird folgender Vorschlag gemacht: In einem klärenden seelsorgerlichen Gespräch der Partner einer zweiten ehelichen Bindung mit einem Priester, in dem die ganze Situation gründlich, aufrichtig und objektiv aufgehellt wird, kann sich im Einzelfall herausstellen, dass die Ehepartner, oder auch ein Ehepartner für sich allein, sich in ihrem Gewissen ermächtigt sehen, an den Tisch des Herrn zu treten. Das ist ganz besonders dann der Fall, wenn die Gewissensüberzeugung vorherrscht, dass die frühere, unheilbar zerbrochene Ehe niemals gültig war. Eine ähnliche Situation liegt nahe, wenn die Betroffe-

nen schon einen längeren Weg der Besinnung und der Buße zurückgelegt haben. Hinzu kommt das Vorliegen einer unlösbaren Pflichtenkollision, wo das Verlassen der neuen Familie schweres Unrecht heraufbeschwören würde. Eine solche Entscheidung kann nur der Einzelne in einer persönlichen Gewissensentscheidung unvertretbar fällen. Er braucht dafür aber den klärenden Beistand und die unvoreingenommene Begleitung des kirchlichen Amtes, das die Gewissen schärft und dafür sorgt, dass die grundlegende Ordnung der Kirche nicht verletzt wird. Der Priester wird eine so getroffene Gewissensentscheidung gegen Verurteilungen und Verdächtigungen schützen, aber auch Sorge tragen, dass die Gemeinde keinen Anstoß daran nimmt. Bei dieser Gewissensentscheidung sind folgende Kriterien unerlässlich: Wo beim Scheitern der ersten Ehe schweres Versagen mit im Spiel war, müssen die übernommene Verantwortung anerkannt und die begangene Schuld bereut werden. Es muss glaubhaft feststehen, dass eine Rückkehr zum ersten Partner wirklich nicht möglich ist und die erste Ehe beim besten Willen nicht wieder belebt werden kann. Begangenes Unrecht und ein angerichteter Schaden müssen nach Kräften wiedergutgemacht werden, soweit dies möglich ist. Zu dieser Wiedergutmachung gehört auch die Erfüllung der Verpflichtungen gegenüber Frau und Kindern aus der ersten Ehe. Es ist darauf zu achten, ob ein Partner seine erste Ehe unter großem öffentlichen Aufsehen und evtl. sogar Ärgernis zerbrochen hat. Die zweite eheliche Gemeinschaft muss sich über einen längeren Zeitraum hinweg im Sinne eines entschiedenen und auch öffentlich erkennbaren Willens zum dauerhaften Zusammenleben nach der Ordnung der Ehe und als sittliche Realität bewährt haben. Es muss geprüft werden, ob das Festhalten an der zweiten Bindung gegenüber dem Partner und den Kindern eine neue sittliche Verpflichtung geworden ist. Es muss hinreichend feststehen, dass die Partner wirklich aus dem christlichen Glauben zu leben versuchen und aus lauteren Motiven, d. h. aus echten religiösen Beweggründen auch am sakramentalen Leben der Kirche teilnehmen wollen. Ähnliches gilt für die Erziehung der Kinder. Am Schluss des Schreibens wird an den Satz des Kirchenvaters Gregor von Nazianz erinnert: „Nicht durch Strenge übertreiben, nicht durch schwächliche Nachgiebigkeit revoltieren.“[8]

Die Reaktion Roms

Die Kongregation für die Glaubenslehre beantwortete diesen Vorschlag am 15. Oktober 1994. Das Schreiben wurde an alle Bischöfe der Welt gerichtet. Das anstehende Jahr der Familie sollte dafür einen verobjektivierten Anlass bieten. So hieß es ganz allgemein zu Beginn: „Das internationale Jahr der Familie bietet eine wichtige Gelegenheit, die Zeugnisse der Liebe und der Sorge der Kirche für die Familie wieder zu entdecken und zugleich die unschätzbaren Reichtümer der christlichen Ehe, die das Fundament der Familie bildet, erneut vorzulegen [...]. In diesem Anliegen wurden in den letzten Jahren in verschiedenen Gegenden (!) unterschiedliche pastorale Lösungen vorgeschlagen, denen zufolge zwar eine allgemeine Zulassung der wiederverheirateten Geschiedenen zur heiligen Kommunion nicht möglich wäre, sie aber in bestimmten Fällen zum Tisch des Herrn hinzutreten könnten, sofern sie sich in ihrem Gewissensurteil dazu ermächtigt hielten.“[9] Das Schreiben hält dagegen fest, es komme dem universalen Lehramt der Kirche zu, in Treue zur heiligen Schrift und zur Tradition das Glaubensgut zu verkünden und authentisch auszulegen.

Wiederverheiratete Geschiedene leben demzufolge in einer Situation, die dem Gesetz Gottes objektiv widerspricht, und darum dürfen sie, solange diese Situation andauert, die Kommunion nicht empfangen. Ein Kommunionempfang im Gegensatz zu den kirchlichen Normen ist ein in sich widersprüchlicher Akt. Die sakramentale Gemeinschaft mit Christus beinhaltet den Gehorsam gegenüber der Ordnung der kirchlichen Gemeinschaft, auch wenn das manchmal schwierig sein kann, und setzt diesen voraus. Zum Schluss folgt die Ermahnung: „Die Pastoral wird alle Kräfte einsetzen müssen, um glaubhaft zu machen, dass es nicht um Diskriminierung geht, sondern einzig um uneingeschränkte Treue zum Willen Christi, der uns die Unauflöslichkeit der Ehe als Gabe des Schöpfers zurückgegeben und neu anvertraut hat. Das Mitleiden und Mitlieben der Hirten und der Gemeinschaft der Gläubigen ist nötig, damit die betroffenen Menschen auch in ihrer Last das süße Joch und die leichte Bürde Jesu erkennen können."[10]

In diesem Schreiben wird die Diskrepanz zwischen den Gefühlen und Empfindungen der Menschen und der mittlerweile unverständlich gewordenen lehramtlichen Position deutlich. Den Ausschluss von den Sakramenten als „süßes Joch" zu umschreiben ist biblische Verhübschung einer rigiden kirchlichen Praxis. Eine Betroffene schreibt in diesem Band vom „drückenden Joch" der Kirche (S. 38).

Antwortschreiben der Bischöfe

Die oberrheinischen Bischöfe richteten daraufhin ein Schreiben an alle hauptberuflich in der Seelsorge tätigen Damen und Herren in den Diözesen Freiburg im Breisgau, Mainz und Rottenburg-Stuttgart. Sie erkennen darin die Prinzipien des Lehramts an, geben allerdings zu bedenken: „Man kann freilich nicht übersehen, dass es sich bei den wiederverheirateten Geschiedenen oft um sehr schwierige und höchst komplexe menschliche Situationen handelt, in denen die konkrete Anwendung dieser Prinzipien pastoral schwierig ist. Wir haben zu zeigen versucht, warum diese Probleme in unseren modernen westlichen Gesellschaften aus verschiedenen Gründen enorm zugenommen haben. Sie stellen eine pastorale Herausforderung dar, die dringend einer Antwort bedarf. Die allgemeine Norm muss ja nach der traditionellen Lehre der Kirche jeweils auf die konkrete Person und auf deren individuelle Situation bezogen werden, ohne dass dadurch die Norm aufgegeben würde [...]. Dabei geht es nicht um eine Aufhebung des geltenden Rechts und der gültigen Norm, sondern in schwierigen und komplexen Situationen um deren Anwendung nach Recht und Billigkeit, so dass der Einmaligkeit der jeweiligen Person Rechnung getragen wird. Das hat nichts mit einer sogenannten ‚Situationspastoral' zu tun."[11]

Nach Ansicht der drei Bischöfe bleiben mit dieser Erklärung der Glaubenskongregation viele pastorale Probleme weiter ungelöst. Letztlich gehe es bei all diesen Fragen um die rechte Verhältnisbestimmung von allgemein gültiger objektiver Norm und persönlicher Gewissensentscheidung. Zum Schluss des Schreibens wird darauf hingewiesen, dass auch die theologische Wissenschaft sich weiterhin mit diesen Fragen beschäftigen müsse.

Eine solche Beschäftigung der Theologie mit diesen Fragen wird in vorliegendem Buch erneut vorgelegt. Die Beiträge kommen zu dem Ergebnis, dass eine Änderung der bisherigen Praxis nicht nur längst angezeigt, sondern theologisch auch möglich ist.

Warnung vor einem vertikalen Schisma

Walter Kardinal Kasper hat in seinem Buch „Katholische Kirche: Wesen – Wirklichkeit – Sendung“ diese Probleme noch einmal aufgegriffen. Seiner Meinung nach ist eine Pastoral dann von pastoraler Klugheit bestimmt, wenn sie der Logik und der Tugend der Klugheit entsprechend ein allgemein gültiges Gesetz nach den Regeln der praktischen Vernunft person- und situationsgerecht auf konkrete Situationen anwendet. Das ist dann keine Situationsethik, welche die Situation zum Schlüssel der Wahrheitserkenntnis macht, sondern eine seelsorgerliche Haltung, welche angesichts der objektiven Komplexität zu einer gewissenhaften Abwägung kommt. Er verweist darauf, dass dieses Konzept von pastoraler Klugheit im Hintergrund des zusammen mit dem damaligen Erzbischof Oskar Saier und dem damaligen Bischof und jetzigen Kardinal Lehmann im Jahr 1993 unternommenen Vorstoßes zur Pastoral der wiederverheirateten Geschiedenen gewesen sei. Dabei sei die Unauflöslichkeit der Ehe nicht in Frage gestellt worden, ganz im Gegenteil. Auch sollte keine generelle Lösung erzielt werden, sondern die Unterschiedlichkeit und Komplexität einzelner Situationen ernst genommen werden, welche eine Abwägung angemessen erscheinen lassen. Kardinal Kasper fährt fort: „Wenn statt solcher pastoraler Klugheit ein rein pragmatisches Verhalten oder umgekehrt ein wirklichkeitsfernes, letztlich gnadenloses und liebloses Prinzipiendenken vorherrscht, dann kann es zu einem vertikalen Schisma kommen, zwischen Prinzipien, welche oben festgehalten und eingeschärft werden, und der Praxis unten, die oft wild und ungeordnet ihre eigenen Wege geht. Wer die gegenwärtige Situation der Kirche realistisch betrachtet, kann die Gefahr einer solchen Entwicklung nicht übersehen; sie ist in vielen Bereichen der Moral und der Pastoral inzwischen Wirklichkeit geworden."[12]

Neuer Lösungsvorschlag: Die Beiträge dieses Buches

Um dem von Kardinal Kasper angedeuteten vertikalen Schisma zu entgehen, aber auch der Situation der Betroffenen gerecht zu werden, muss sich die Praxis der Kirche gegenüber den wiederverheirateten Geschiedenen ändern. Die Vorschläge dazu sind in diesem Buch entfaltet. Die Beiträge reichen von den bitteren und bewegenden Erfahrungen von Betroffenen über die Praxis von Seelsorgern und die Einschätzung einer Psychotherapeutin bis hin zu den aktuellen Reflexionen aus verschiedenen theologischen Disziplinen.

Die Psychotherapeutin und Psychoanalytikerin Roswitha Dockendorff geht aus der Perspektive ihrer Disziplin dem Phänomen des Scheiterns auf den Grund. Denn als solches wird das Ende einer Ehe von vielen erlebt. Scheitern ist endgültiger als bloßes Misslingen. Es gleicht sprichwörtlich einem Schiffbruch: Das Schiff selbst zerschellt, die Betroffenen geraten in existenzielle Bedrängnis, müssen sich meist völlig vom ursprünglichen Weg und Ziel entfernen – machen aber auch bedeutsame persönliche Erfahrungen. Diese Erfahrungen, so Dockendorff, können sich destruktiv oder konstruktiv für das weitere Leben auswirken – Letzteres insbesondere dann, wenn es gelingt, sich der eigenen Zerrissenheit zu stellen, umzudenken und „umzufühlen" (Verena Kast). Die kirchliche Praxis nehme jedoch die emotionalen Prägungen und seelischen Verwundungen der Partner – und damit einen großen Teil der innerseelischen Realitäten, die zum Scheitern einer Ehe beitragen können – gar nicht wahr. So komme zum persönlichen Scheitern in einer Ehe noch der Schmerz hinzu, sich von der eigenen Kirche im Stich gelassen zu fühlen und vom Empfang der anderen Sakramente ausgeschlossen zu werden. Auch könne die religiöse Gesinnung und Praxis den Betroffenen häufig nicht helfen, die auf einer anderen, nämlich der unbewussten Ebene liegenden psychischen Prägungen und die daraus erwachsenden Konflikte zu bearbeiten. Erst in der aktiven Auseinandersetzung mit dem Scheitern verberge sich eine Chance, zu mehr Sensibilität für sich und andere zu finden und in der eigenen Persönlichkeit zu reifen. Nicht zuletzt liege in diesem Reifungsprozess zu größerer Lebensfülle auch die Möglichkeit, näher zu Gott zu finden.

Der Münchner Neutestamentler Gerd Häfner fragt nach der ursprünglichen Fassung des Jesuswortes von Ehescheidung und Wiederheirat, das er in Mt 5,32 am ehesten bewahrt sieht. In seiner exegetischen Analyse arbeitet er heraus, dass Jesus in der Tradition der Evangelisten zwar die Ehescheidung verwirft, mit dem überlieferten Satz allerdings keine Regelung formuliert, die die Gemeinschaft seiner Nachfolgerinnen und Nachfolger in allen denkbaren Fällen rechtlich verpflichten wolle. Es wird vielmehr klar, welche Bedeutung Jesu Worten zur Ehescheidung im Kontext seiner Reich-Gottes-Botschaft zukommt. So kann die Ehe – analog zum Sabbat – als eine vom Schöpfer gestiftete Einrichtung zum Wohl des Menschen verstanden werden. In diesem theologischen Horizont wird es schließlich möglich, in der Pastoral mit wiederverheirateten Geschiedenen Wege zu suchen, die der ganzen Vielfalt des Lebens auch heute gerecht werden können. Das Scheidungsverbot Jesu sollte also menschenfreundlich

interpretiert werden. Man soll es nicht aushöhlen, wie es etwa die Kirche mit dem jesuanischen Eidverbot handhabt.
Der Dortmunder Dogmatiker Thomas Ruster arbeitet in seiner rechts- und dogmengeschichtlichen Untersuchung ein Alleinstellungsmerkmal der katholischen Kirche heraus: die Ehe als Sakrament. Genau dies sei der kostbare Schatz, der heute angesichts differenzierter Formen partnerschaftlichen Zusammenlebens und vor dem Hintergrund veränderter (kirchen-)rechtlicher Normen zum Leuchten gebracht werden könne. Dafür bedürfe es jedoch eines zentralen Schrittes: der Entkoppelung der sakramentalen Ehe von der Ehe als Vertragsgemeinschaft einerseits und von der normativen Vorstellung der Naturehe andererseits. In diesem markanten Schritt liegt nach Ruster die unerlässliche Voraussetzung dafür, in der festgefahrenen Frage nach dem Umgang mit den wiederverheirateten Geschiedenen Lösungen zu finden. Auf diese Weise werde nämlich ein Zweifaches möglich: Zum einen könne es in der Kirche gültige Ehen geben, die kein Sakrament sind. Zum anderen könne die Kirche ihre Lehrhoheit über nichtsakramentale Formen des Zusammenlebens von Mann und Frau aufgeben. Sie müsse diese nicht mehr an der Norm des Naturrechts messen und könne die vielen neuen Formen von Partnerschaft einfach das sein lassen, was sie sind: tastende, teils unausgegorene, teils schon bewährte Versuche, die Institution der Ehe den gewandelten gesellschaftlichen Verhältnissen anzupassen.
Otto Hermann Pesch, der eine katholische Dogmatik aus ökumenischer Erfahrung vorgelegt hat – seine 25-jährige Lehrtätigkeit an der Evangelischen Fakultät der Universität Hamburg prädestiniert ihn gerade dazu –, plädiert ebenfalls für die Unscheidbarkeit der Ehe, allerdings nur dann, wenn die Ehe wirklich eine Ehe ist. Die Unscheid-

barkeit kann freilich kein rechtlicher Grundsatz sein, der erzwingbar ist. Insofern spricht Pesch sich für die Praxis der Ostkirche aus, die von der katholischen Kirche nie verurteilt wurde. Bei einer heillosen Zerrüttung der Ehe sollte ein Neuanfang in der Kirche möglich sein. Die Ostkirche beweist, dass dies möglich ist unter ausdrücklicher Anerkennung der Ehe als Sakrament.

Der Freiburger Moraltheologe Eberhard Schockenhoff macht aus theologisch-ethischer Perspektive die Notwendigkeit eines veränderten Umgangs mit wiederverheirateten Geschiedenen deutlich. Kritisch beurteilt er in diesem Zusammenhang drei Punkte, die er für die große Distanz zwischen der gegenwärtigen kirchenrechtlichen Regelung und der Lebenserfahrung einer großen Zahl der betroffenen Männer und Frauen verantwortlich macht. So sei erstens der kanonistische Ehebegriff selbst problematisch, dessen einseitige Fixierung auf den sexuellen Vollzug der Ehe ein Relikt ihrer durch das Konzil überwundenen, vertragsrechtlichen Sichtweise darstelle. Als ein zweites Problem identifiziert Schockenhoff das unzureichende Sakramentenverständnis, das der Identifikation von Ehevertrag und Sakrament zugrundeliegt. Eine dritte Schwäche der Argumentation, nach der wiederverheiratete Geschiedene wegen des objektiven Widerspruchs, in dem sie zur kirchlichen Lebensordnung stehen, von den Sakramenten ausgeschlossen werden müssen, sieht er in der reduzierten Rolle des Gewissens. Dessen Funktion beschränke sich nämlich letztlich darauf, die Verletzung der vertraglichen Pflichten anzuerkennen, die sich aus dem fortbestehenden Rechtsverhältnis der ersten Ehe ergeben. Genau hier setzt Schockenhoff an, wenn er sich für eine Anerkennung der unhintergehbaren Kompetenz des Gewissens als letzter Beurteilungsinstanz ausspricht. Schließlich lasse das einfache Fak-

tum einer nochmaligen Heirat keinen generellen Rückschluss auf das Vorliegen schwerer Schuld zu. Denn diese besitze neben dem objektiven Tatbestand eines Vergehens oder Fehlverhaltens immer auch einen subjektiven Aspekt, der nicht von außen zu beurteilen ist. In diesem Zusammenhang könne die gegenwärtige kirchenrechtliche Regelung jedoch der vom Lehramt in *Familiaris consortio* selbst erhobenen Forderung nicht gerecht werden, verschiedene Situationen gut zu unterscheiden und differenziert zu beurteilen.
Geradezu im Stil einer Streitschrift räumt der Münsteraner Kirchenrechtslehrer Thomas Schüller mit Vorurteilen und Schuldzuweisungen an seine Disziplin auf und mahnt den Dialog über die elementaren theologischen Fragen im Kontext von Ehe, Scheidung und Wiederheirat an. Vieles sei eben kein Problem des Kirchenrechts, das als „geronnene Dogmatik" nur den lehramtlichen Status quo repräsentiere. Schließlich bringe der neue Kodex das neue, personale Eheverständnis aus *Gaudium et spes* bereits in seinem Eingangskanon präzise auf den Punkt. Freilich komme aber neben anderen theologischen Disziplinen auch dem Kirchenrecht die Aufgabe zu, dem Lehramt zu Einsichten in die eigene Tradition zu verhelfen. Vor diesem Hintergrund identifiziert Schüller Fragwürdigkeiten der gegenwärtigen Rechtslage. Insbesondere geht er auf die Wirkmächtigkeit der naturrechtlich verkürzten Identifikation von christlicher Ehe mit vertraglich zugesichertem Geschlechtsverkehr ein sowie auf die Inkongruenzen in der Annullierungs- und Auflösungspraxis bestehender Ehen, die sich im Laufe der Rechtsgeschichte entwickelt haben. Abschließend präsentiert er zwei mögliche Lösungsansätze, die dazu beitragen könnten, die kirchliche Lehre und die Lebenssituation der Betroffenen wieder in Einklang zu bringen. Zum einen könnte der zuständige Pfarrer

als Rechtsanwender in Abwägung der theologischen und rechtlichen Güter nach einer Gewissensprüfung der Gläubigen eine zweite Ehe als sittliche Größe im Namen der Kirche akzeptieren oder zumindest dulden – und damit den Zugang zu den Sakramenten öffnen. Zum anderen würde sich, wie Markus Güttler herausgearbeitet hat, durch einen Dispens nach dem moralischen „Tod" der ersten Ehe eine Perspektive für das Eingehen einer zweiten Ehe eröffnen. Was allerdings die Frage nach der Kommunionspendung an wiederverheiratete Geschiedene angeht, betont Schüller mit Verweis auf Klaus Lüdicke, dass dies gerade kein Zeichen von Barmherzigkeit sei – sondern nicht weniger als die ordentliche Erfüllung des kirchlichen Dienstes.

Franz Weber, Pfarrer und emeritierter Innsbrucker Pastoraltheologe, plädiert in seinem Beitrag für eine Pastoral der Wahrnehmung, Anerkennung und Begleitung von wiederverheirateten Geschiedenen, die er dezidiert gegen die Praxis der Exklusion von betroffenen Männern und Frauen stellt. Schließlich sei es eine Grundhaltung von Seelsorgerinnen und Seelsorgern, Menschen in ihrer je eigenen Lebenssituation wahrzunehmen und ihnen gerade in der Erfahrung des Scheiterns nahe zu sein. Wenn aber eine Ehe scheitert, würden sich viele Betroffene als von den zentralen Lebensvollzügen ausgeschlossen und von der Kirche abgeschrieben erfahren. Sie nehmen zur Bewältigung ihrer Lebenssituation professionelle Hilfe außerhalb einer Kirche in Anspruch. Die Glaubwürdigkeit von Kirche geht dadurch sowohl bei den Betroffenen wie in der Öffentlichkeit weiter verloren. Seelsorgerinnen und Seelsorger, die sich einer anderen Praxis verpflichten – *propter homines*, also um der Menschen willen –, fühlen sich im Stich gelassen. Weber will sich nicht damit abfinden, dass der Wunsch nach Seelsorge als – wie ein Betroffener sagt – „die letzte Instanz zwischen Hoffnung und Hoffnungslosigkeit" zu oft unerfüllt bleibt. Daher plädiert er dafür, die Sehnsüchte nach Vergebung und Versöhnung, nach einem wieder gelingenden Leben, nach dem Segen Gottes für die neue Partnerschaft und nach einer neuen Beheimatung in der Kirche nicht länger als Orte der Sünde zu brandmarken, sondern als Orte von Gnade und heilender Gottesbegegnung zu würdigen. Nicht nur aus Gründen der Barmherzigkeit und Gerechtigkeit dürfe man die wiederverheirateten Geschiedenen nicht aus der Kirche und den Gemeinden ausziehen lassen, sondern auch weil sie theologisch und spirituell etwas sehr Wesentliches über die Schöpfungswirklichkeit Mensch, über Fragmentarität und Scheitern und über die tiefe Sehnsucht nach Heil und Heiligung zu sagen haben.

Kardinal Woelki von Berlin hat unlängst Papst Benedikt XVI. verteidigt, der dem bayerischen Ministerpräsidenten Horst Seehofer, der geschieden und wieder verheiratet ist, die Kommunion gereicht hat. Der Papst habe nur so gehandelt, wie jeder Seelsorger handeln würde, der niemanden abweisen wolle. Und der Kardinal weiter: Menschen könnten oft in ihrer zweiten Beziehung das verwirklichen, woran sie in ihrer Ehe gescheitert sind. Es ist zu hoffen, dass diese Auffassung eines Kardinals bald allgemeine kirchliche Praxis wird. Es wäre ein Segen für alle.

Anmerkungen

1 Walter Kasper, Zur Theologie der christlichen Ehe, Mainz 1977, 73f.

2 Ebd., 81.

3 In: Theodor Schneider (Hg.), Geschieden – Wiederverheiratet – Abgewiesen? Antworten der Theologie, Freiburg i. Br. 1995, 374.

4 Ebd. 375.

5 Matthäus Kaiser, Geschieden und wiederverheiratet. Beurteilung der Ehen von Geschiedenen, die wieder heiraten, Regensburg 1983.

6 Joseph Ratzinger, Zur Frage nach der Unauflöslichkeit der Ehe. Bemerkungen zum dogmengeschichtlichen Befund und zu seiner gegenwärtigen Bedeutung in: Franz Henrich und Volker Eid (Hg.), Ehe und Ehescheidung. Diskussion unter Christen, München 1972, 35–56, hier 54.

7 Schneider (vgl. Fußnote 3), 378.

8 Ebd. 394.

9 Ebd.

10 Ebd. 404.

11 Ebd. 408.

12 Walter Kardinal Kasper, Katholische Kirche. Wesen – Wirklichkeit – Sendung, Freiburg 2011, 41.

Erfahrungsberichte von Betroffenen

Birgit Bauer*

Den Amtsträgern lege ich ans Herz …

Erfahrungen einer betroffenen Seelsorgerin

Ich bin 59 Jahre alt und lebe seit meiner Scheidung vor sieben Jahren allein. Meine Kinder sind erwachsen und selbständig. Als Wirtschaftsleiterin in einem kirchlichen Unternehmen erfahre ich diesen Arbeitsplatz als ein Stück gelebte Kirche. Ich habe einen wunderbaren Freundeskreis, in dem ich mich gut aufgehoben fühle und wo ich mein Leben mit anderen teilen kann. Seit vielen Jahren engagiere ich mich in der Krisenintervention und Notfallseelsorge. Dort begleite ich auch Sterbende und ihre Angehörigen und auch Frauen in schwierigen Scheidungssituationen. Nach einer Pause von fünf Jahren (in dieser Zeit habe ich mein Studium abgeschlossen) übernehme ich auch wieder Verantwortung im Pfarrgemeinderat.

Aufgewachsen bin ich in einem traditionell katholischen Elternhaus in bäuerlicher Umgebung. Wie das Leben einer „guten“ Frau zu verlaufen hat, wurde mir gewissermaßen schon in die Wiege gelegt. Um diesem Frauenbild zu entsprechen, bedarf es keiner speziellen Bildung. Von diesem Frauentyp wurde nur erwartet, dass man heiratet und natürlich imstande ist, den Haushalt zu führen, den Ehemann zu versorgen und zu unterstützen und Kinder großzuziehen. Zur großen Enttäuschung meiner Eltern habe ich diesem Bild nie

* Der Name ist zum Schutz der Autorin geändert.

richtig entsprochen und wurde auch deshalb in meinem familiären Umfeld selten als „vollwertige“ Frau gesehen. Die Enttäuschung meiner Angehörigen erreichte einen Höhepunkt, als ich mich in sehr jungen Jahren (mit knapp 17) entschloss, in die Großstadt zu ziehen, um neben meiner beruflichen Tätigkeit zu studieren.

Ehe mit einem geschiedenen Mann

Während meines Studiums lernte ich meinen Mann kennen. Er war geschieden und bereit, mit mir eine Familie zu gründen. Auf diesen Karren bin ich begeistert aufgesprungen, gab es doch in mir immer wieder – und mit zunehmendem Alter intensiver werdend – den Wunsch nach Familie, nach Kindern, nach Partnerschaft. Mit 28 Jahren habe ich geheiratet und danach zwei Kinder geboren. Meine Eltern waren einerseits erleichtert, dass die „so ganz andere Tochter“ endlich einen Mann gefunden hatte. Nun brauchten sie sich mit mir nicht mehr zu schämen. Sie waren aber andererseits nicht besonders glücklich darüber, dass dieser Mann bereits verheiratet gewesen war. Meine Geschwister konnten diese Tatsache aber gut akzeptieren. Aus „Liebe“ zu meinem Mann und meiner jungen Familie habe ich meinen Job, mein Studium und meine Wohnung aufgegeben und mich ausschließlich der Familie gewidmet. Später – nach der Scheidung – hat mich diese Entscheidung schwer getroffen.

Ich habe mich nicht als eine Frau in wilder Ehe erfahren

Die Tatsache, dass mein Mann geschieden war, hat mich am Anfang unserer Ehe nicht besonders beeinträchtigt. Es war mir wichtig, eine Ehe nach christlichen Werten zu führen, in Treue und Verantwortung bis ans Ende unserer Tage. Auch die Kinder sollten in diesem Sinne erzogen werden. Im Innersten habe ich mich niemals als eine Frau erfahren, die in „ungeordneten" Verhältnissen oder in „wilder Ehe" lebt. Als großen Segen habe ich unseren damaligen Pfarrer erlebt, der mich in meiner Haltung ermutigt und bestätigt hat. Ich habe mich als „vollwertiges" Mitglied der Kirche gesehen, habe mich selbstverständlich in der Pfarre engagiert und im Bewusstsein der barmherzigen Liebe Gottes und in der Sehnsucht danach in der Überzeugung gelebt, dass Gott mit mir und meiner Familie ist. Ich war und bin noch immer zutiefst davon überzeugt, dass er mein Ringen um eine christliche Ehe und meine Sehnsucht nach Liebe und Geborgenheit ernst genommen und gewürdigt hat und dass er mich durch seine Gegenwart und durch sein Sich-an-mich-Verschenken auf diesem Weg bestärkt hat. Aus dieser Gewissheit heraus empfing ich auch die Sakramente.

In späteren Jahren, als es in meiner Ehe nach und nach durch eine gegensätzliche Entwicklung unserer Persönlichkeiten schwieriger wurde und die daraus resultierenden Interessen und die Lebenseinstellungen sehr verschieden geworden waren, kam ich auch mit der ablehnenden Seite der Kirche in Berührung. Bei meiner Suche nach Unterstützung und Rat bei „erfahrenen und frommen" Ehefrauen war ich mit Unverständnis, Ablehnung und Verurteilung konfrontiert. Besonders gekränkt hat mich der Umstand, dass Menschen, die mich seit vielen Jahren als eine um ihre Ehe ringende Frau erlebt hatten, mir zu verstehen gaben, dass jemand, der wie ich in „wilder Ehe“ lebt, für eine dauerhafte Beziehung unfähig sei, weil eine solche Ehe nicht in Gott gründet, sondern auf einer Sünde aufgebaut sei. Unserem Pfarrer, der den bedürftigen Menschen und die barmherzige Liebe Gottes über die Gesetze stellte, warf man Missachtung der Lehre der Kirche vor und beschuldigte ihn, in seiner Haltung dem Zeitgeist verfallen zu sein.

Wie man in der Kirche auf das Scheitern einer Ehe reagiert

Nach 23 Jahren wurde meine Ehe geschieden und ich kehrte nach langer Abwesenheit wieder ins Berufsleben zurück. Mein familiäres Umfeld reagierte mit Erleichterung und hielt zu mir, da man um die Aussichtslosigkeit unserer Ehe und um das Leid, das ich durchlitt, wusste. Die Reaktionen aus kirchlichen Kreisen waren unterschiedlich. Es gab die Gruppe, die mich auf allen Ebenen unterstützte und zu mir stand. Es gab eine andere Gruppe, die mich abfällig in die Reihe der Geschiedenen einordnete und mir unterstellte, ich hätte mich meinem Mann offensichtlich zu wenig untergeordnet. Andere hatten es immer schon gewusst, dass diese Ehe keine Zukunft haben würde.

Ein junger Priester – noch keine 40 Jahre alt – machte mir in einem Beichtgespräch deutlich, dass ich bis ans Ende meines Lebens verheiratet bleiben werde und keinen Mann mehr haben dürfe. Nachdem ich ihm andeutete, nicht kirchlich verheiratet gewesen zu sein, erwiderte er: „Na dann ist eh alles ‚wurscht'.“ Oft habe ich mir die Frage gestellt, ob sich so ein

Priester überhaupt bewusst ist, was er mit einer solchen Aussage anrichtet, was er mit dieser Haltung in einem Menschen auslöst und was er damit verkündet. Ich selbst war so betroffen, dass ich kein Wort sagen konnte.

Die Kirche gab mir eine Chance

Mein Wiedereinstieg ins Berufsleben war nicht einfach. Auf dem freien Arbeitsmarkt war ich trotz guter Qualifikation aufgrund meines Alters und der langen beruflichen Abwesenheit unvermittelbar. Die Kirche, für die ich mich seit vielen Jahren engagiert hatte, gab mir – auch als Geschiedener – eine Chance! Ich erlebte in meinen unmittelbaren Vorgesetzten Menschen, die nicht in erster Linie auf mein Alter und auf meinen Familienstand schauten, sondern sich menschlich, verständnisvoll und ermutigend zeigten und mir die Möglichkeit eines Neuanfangs gaben. Ich glaube, dass ich sie nicht enttäuscht habe.

Hilfen auf dem Weg zum Neuanfang

Ich habe auch eine äußerst einfühlsame und lebensbejahende geistliche Begleiterin gefunden, die mich über viele Jahre meines Ehelebens und über das Scheitern meiner Ehe hinaus begleitete. In dieser Zeit habe ich gelernt und erlebt, was es heißt, im Glauben Halt und Sinn zu finden. Ich hab gelernt, mein Leben im Licht des Evangeliums zu reflektieren, mich mit den Schwierigkeiten und Verletzungen der Ehe auseinanderzusetzen und meine eigenen Anteile am Scheitern wahrzunehmen, zu akzeptieren und die Verantwortung dafür zu

übernehmen. Ich habe mich zu einem radikalen Weg der Versöhnung entschieden, weil mir bewusst geworden ist, dass nur dieser Weg zu einem sinnvollen Weiterleben führt! Es war ein harter und steiniger Weg. Die Kraft dazu fand ich im Glauben, in den Sakramenten, in einem regen Gebetsleben, in der einfühlsamen Begleitung, im Austausch mit Menschen, denen ich vertrauen konnte, und in der Geborgenheit der Familie und des Freundeskreises.
Dass dieser Versöhnungsweg der richtige war, zeigte sich anlässlich der Sponsion meiner Kinder, wo es zu einem Zusammentreffen mit meinem geschiedenen Mann kam. Ich begegnete ihm nach vielen Jahren wieder und spürte keinen Groll und keine Verletzung mehr in mir – ich fühlte mich völlig frei. Welch eine Gnade! Welch ein Segen für den Lebensvollzug unserer Kinder!

Erfahrungen als Seelsorgerin in der Begleitung von geschiedenen Wiederverheirateten und Geschiedenen

Seit einigen Jahren begleite ich Frauen in schwierigen Phasen der Ehe bzw. vor und nach der Scheidung. Eine durchgehende Erfahrung, die ich in diesem Kontext mache, ist, dass Frauen unglaublich leidensfähig sind. Sie ertragen über lange Zeit Verletzungen und Gewalt innerhalb der Familie und suchen erst dann Hilfe, „wenn der Hut schon lichterloh brennt". Was mir besonders nahegeht und was mich wütend macht, ist die Haltung mancher Priester, die in Gesprächen und in der Beichte Frauen immer wieder dazu auffordern, Gewalt und Erniedrigungen auszuhalten und dem Mann willens zu sein, um die Familie nicht zu gefährden. Hier wird der christliche

Glaube instrumentalisiert. Diese Frauen erleben die Entwürdigung nicht nur im häuslichen Bereich, sondern auch von Seiten der Kirche, die von ihrem Grundauftrag her an der Seite der Schwachen und Unterdrückten zu stehen hätte.
Aus meiner Erfahrung lassen sich Ehepaare nicht leichtfertig scheiden, einer Trennung geht oft ein jahrelanges mühsames Ringen und Kämpfen voraus. Ich erlebe Frauen, die aufgrund ihrer Verletzungen innerlich so hart geworden sind, dass sie nur äußerst schwer einen Weg der Versöhnung finden. Oft dauert das Jahre und die Kinder leiden entsetzlich darunter. Oft gelingt Versöhnung überhaupt nicht.
Ich erlebe Frauen, die sich von der Kirche enttäuscht abwenden, weil sie sich als geschiedene Wiederverheiratete in ihrem Scheitern und in ihrer Sehnsucht nach Liebe und Geborgenheit nicht ernst genommen fühlen und eine unbarmherzige Kirche erleben. Sie fühlen sich ohnmächtig und durch den Ausschluss vom Sakramentenempfang als Christen zweiter Klasse.
Ich erlebe aber auch Frauen, die eine lebensbejahende Gottesbeziehung, ein gesundes Gewissen und ein gutes Selbstwertgefühl entwickelt haben, die ihr Leben gut reflektieren, Verantwortung für ihr Scheitern übernehmen und zu einer anderen Haltung kommen, als es die Lehre der Kirche vorgibt. Sie suchen pfarrliche Gemeinschaften, wo sie als geschiedene Wiederverheiratete akzeptiert sind, wo sie sich mit ihrer ganzen Persönlichkeit einbringen und ihren Glauben leben können. Oft sind das Frauen, die wieder andere auf diesem Weg ermutigen.

Umgang mit geschiedenen Wiederverheirateten

Aus eigener und aus meiner Erfahrung in der Begleitung von Betroffenen sind mir im Umgang mit geschiedenen Wiederverheirateten folgende Punkte wichtig geworden:

- wertschätzender, einfühlsamer, offener Umgang im Gespräch mit Betroffenen, Anteilnahme und Akzeptanz signalisieren (gut hinschauen, gut zuhören, gut da sein)
- hinführen zur Achtung, Wertschätzung und Verantwortung für die / den getrennten PartnerIn und deren Kinder, damit den Kindern beide Elternteile erhalten bleiben. Hier ist oft eine intensive Begleitung notwendig!
- Unterstützung und Begleitung auf dem Weg der Vergebung / Versöhnung, damit die Wunden heilen können (Auseinandersetzung mit den eigenen Anteilen des Scheiterns, Aufarbeitung und Verantwortung)
- Wie kann eine Theologie des Scheiterns aussehen und wie kann sie praktiziert werden (z. B. Schaffung von Räumen für Klage, Austausch, Rituale, Gebet, Gottdienst)?
- Wenn die Phasen der Trennung, Aufarbeitung, Versöhnung / Vergebung durchlebt sind, Hinführen zu einem neuen Gelöbnis (z. B. durch Segnungsgottesdienst) und Zulassung zu den Sakramenten.

Wünsche an die Amtsträger der Kirche

Diese Punkte sind sehr ernst zu nehmen. Viele Betroffene bekommen „das drückende Joch“ der Kirche zu spüren. Sie erleben eine enge Sicht und Sturheit der Amtsträger, ihre oft äußerst mangelhafte Kommunikationsfähigkeit, ihre Verständnislosigkeit, ihren oft erbärmlichen Umgang mit Betrof-

fenen, ihre Angst und Unsicherheit gegenüber dem Gesetz der Kirche und gegenüber ihren Bischöfen. Es braucht eindeutige, klare pastorale Richtlinien, die dieser Unsicherheit und Hilflosigkeit auf beiden Seiten Rechnung tragen.
Den Amtsträgern lege ich „ans Herz und ins Hirn", die Zeichen der Zeit wahrzunehmen und anzuerkennen, dass es neben der Ehe weitere Lebensgemeinschaften gibt, die den christlichen Wertvorstellungen (Hingabe, Treue, Verantwortung füreinander, offen für neues Leben) voll und ganz entsprechen und deshalb auch gewürdigt werden müssen.
Es ist inakzeptabel, geschiedenen Wiederverheirateten zu empfehlen, ein Verhältnis wie Bruder und Schwester zu führen, um weiter die Sakramente empfangen zu können. Damit wird das Wesen der Ehe ausschließlich auf den sexuellen Akt reduziert und Liebe, Hingabe, Treue, Verantwortung für nicht wesentlich erklärt! Den geschiedenen Wiederverheirateten werden die Sakramente verweigert. Gleichzeitig wird ihnen aber empfohlen, weiter am Gemeindeleben und an den Gottesdiensten teilzunehmen, damit sie an den „Gnadengaben" teilhaben können. Ich frage mich, wie das geschehen soll, wenn doch im Zustand schwerer Sünde keine Gnade möglich ist.
Ich kann abschließend von mir sagen, dass ich noch immer in dieser Kirche bin, weil ich sie liebe und weil ich weiß, dass es diese Kirche nur im Fragment gibt. Auf Fragmente und Nischen richte ich mein Augenmerk. Ich erlebe in dieser Kirche trotz aller Brüche – wie sonst nirgendwo – Sinn!

Erika Hinrichs

Ein langer Prozess

Es war Liebe auf den ersten Blick. Kennengelernt haben wir uns an der Uni, ich als Erstsemester und 20 Jahre jung, er als Student kurz vor dem Examen und fünf Jahre älter als ich. Wir waren sehr verliebt und ich glaubte, dass nichts mir etwas anhaben könne. Ich fühlte mich stark und sehr geborgen in seiner Gegenwart. Wir waren unzertrennlich und ein halbes Jahr später zogen wir zusammen. Matthias bereitete sich mittlerweile auf seine Prüfungen fürs Examen vor, ich lebte mich an der Universität ein und studierte.

Dann wurde ich unerwartet schwanger. Das Wort Abtreibung hing nur für einen kurzen Moment in der Luft und wir waren uns schnell einig, das Kind zu bekommen. Wir würden das schaffen, da waren wir uns sicher und einig. Wir heirateten, denn unser Kind sollte in der Sicherheit einer Familie aufwachsen und wir beide wollten sowieso zusammenbleiben, nichts könnte uns trennen. „Bis dass der Tod uns scheidet", das war für uns keine leere Floskel und ich weiß noch, wie empört ich bei der Hochzeit meines Bruders war, als der Pfarrer in seiner Predigt auch das Thema Scheidung anschnitt.

Unser Sohn wurde geboren und Matthias begann sein Referendariat an einem Gymnasium. Ich versuchte, unseren kleinen Haushalt zu managen, studierte neben Kind, Haushalt und Ehemann und hatte immer öfter das Gefühl, dem allen nicht gerecht zu werden. War ich an der Uni, glaubte ich, ich müsse bei meinem Kind sein, war ich zuhause, plagte mich die Angst, mein Studium zu vernachlässigen. Matthias stand ebenso unter Druck, er war jetzt der Familienernährer mit einer ungewissen Zukunft, denn es gab keine Lehrerstellen. Zudem bereitete er sich auf das zweite Examen vor. Alltag und Routine hielten Einzug, wir verstanden uns aber immer noch sehr gut und waren auf einer Wellenlänge.

Eines Tages, unser Sohn war eineinhalb Jahre alt, eröffnete Matthias mir, er habe sich in eine andere Frau verliebt und das sei nicht nur ein Flirt, sondern Liebe. Für mich brach eine Welt zusammen, ich konnte das nicht glauben. Wie in Trance versuchte ich, meinen Alltag zu bewältigen, meinem Kind eine gute Mutter zu sein. Ich redete mit niemandem darüber, fraß meinen Kummer in mich hinein und heulte mir die Augen aus, wenn er abends gut gelaunt zu seinem Rendezvous eilte. Das Gefühl des eigenen Versagens, gepaart mit der Angst, ihn verlieren zu können, schlich sich in mein Herz. Gleichzeitig fühlte ich mich von ihm verraten, war wütend und nahm es ihm übel, dass er unsere kleine Familie so gering schätzte. Wir waren kein unschlagbares Team mehr. Aber ich hoffte, er würde zur Besinnung kommen und seine Affäre beenden. Das tat er aber nicht, sondern behauptete, mich und die andere Frau gleich zu lieben. Tief in mir ging etwas zu Bruch, aber ich dachte keinen Moment daran, ihn zu verlassen.

Nach einem halben Jahr bat ich ihn, sich zu entscheiden, sie oder ich. Nach einer quälend langen Bedenkzeit trennte er sich von ihr, nicht ohne mir zu sagen, dass er sich nicht entscheiden wollte und ich ihn gezwungen hätte zu etwas, hinter dem er nicht stehe. Notgedrungen bleibe er bei mir. Ab diesem Zeitpunkt fühlte ich mich als zweite Wahl. Immer

wieder vermittelte er mir, dass er nicht hinter dieser Entscheidung stehe. Dass er das nur mir zuliebe getan habe.
Nun war er wieder bei mir und doch nicht, war wütend auf mich, wo ich hätte wütend auf ihn sein müssen. Er benahm sich wie ein Kind, dem man sein Spielzeug weggenommen hatte. In der Zwischenzeit hatte er sein Referendariat abgeschlossen und fand in Nordrhein-Westfalen eine Angestelltenstelle als Lehrer. Wir zogen um, ich fühlte mich sehr einsam, hatte meinen Freundeskreis zurückgelassen und versuchte weiter, Kind, Haushalt, Studium und Eheleben unter einen Hut zu bekommen. Unausgesprochene Dinge hingen über uns wie ein Damoklesschwert, und wenn ich mit ihm reden wollte, bezeichnete er mich als nachtragend. Ganz schleichend blieb unser Eheleben auf der Strecke, etwas in mir blockierte. Ich hatte das Vertrauen verloren; das Gefühl des Geborgenseins und der emotionalen Sicherheit, das unsere Beziehung einst ausgezeichnet hatte, war verschwunden.
Matthias reagierte auf seine Weise, er stürzte sich in Arbeit, seine Freizeit verbrachte er ohne mich. Er hatte erneut eine Affäre, diesmal zog es mich schon nicht mehr runter, innerlich war ich wie tot und hatte einen Schutzwall um mein Herz gebaut. Ich funktionierte und fühlte eine große Leere.
Ich büffelte für mein Examen und absolvierte die Prüfungen. Unser Sohn war mittlerweile im Kindergarten und ich nahm eine befristete Stelle als Lehrerin an. Nun ging es uns zumindest finanziell besser. Ich war wieder schwanger, diesmal gewollt, und unsere Tochter kam zur Welt. Später behauptete Matthias, ich hätte ihn missbraucht, eigentlich hätte er ja kein Kind mehr gewollt. Als Matthias dann eine Stelle in der Rhön angeboten bekam, zogen wir wieder um. Nun lebten wir in einem winzigen Dorf. Matthias war der Familienernährer, seine Arbeit hatte Priorität und ich unterstützte ihn.

Er übernahm Arbeitsgemeinschaften und war an vielen Wochenenden im Jahr mit Schülern unterwegs. Ich kümmerte mich um Kinder und Haushalt und erwartete nichts. Als ich in einer Buchhandlung anfing zu arbeiten, hatte ich zum ersten Mal seit Jahren das Gefühl, aus meiner Schockstarre zu erwachen. Die Arbeit gefiel mir, ich war unter Menschen und fühlte mich nicht mehr so einsam. Unsere Ehe zeichnete sich durch Sprachlosigkeit aus, wir lebten nebeneinander her.

Matthias entwickelte Züge eines Workaholics, und so stellte er mich eines Tages vor die Tatsache, dass er sich wieder beworben habe auf die nächsthöhere Stelle.

Wieder zogen wir um, ich kündigte meine liebgewonnene Stelle. Er hatte über meinen Kopf hinweg entschieden, hatte nichts mit mir besprochen. Ich bat ihn, sich doch jetzt nicht mehr weiter zu bewerben, auch schon wegen der Kinder. Und dass ich ihn auch liebe, wenn er nicht die Karriereleiter erklimmt. Er versprach, dass dies der letzte Ortswechsel für uns sei.

Ich suchte mir eine neue Stelle, arbeitete wieder, und als der Betrieb mir anbot, noch nachträglich eine Ausbildung zu machen, war ich glücklich. Ein paar Jahre lebten wir so, arrangierten uns irgendwie. Matthias verbrachte seine Freizeit ohne uns. Ich fand mich damit ab, dass ich in seinem Leben auf der Rangliste unten stand, hatte die Hoffnung aber noch nicht aufgegeben, dass er mich doch noch wahrnehmen würde. Mit ihm reden war fast unmöglich, er blockte sofort alles ab. Es gab keine Zärtlichkeiten zwischen uns. Er lebte immer sein Leben, das ohne uns genauso aussah wie mit uns. Nichts würde sich ändern.

Am neuen Wohnort aber fühlte ich mich wohl, die Kinder und ich lebten uns gut ein. Wir waren nun schon 28 Jahre verhei-

ratet, als Matthias mir eröffnete, dass er eine Stelle als Schulleiter annehmen würde. Das bedeutete einen erneuten Umzug, wieder sollte ich meine Stelle kündigen müssen, wieder hatte er mich nicht in seine Entscheidung miteinbezogen.
Endgültig brach eine Welt zusammen, ich weinte tagelang und trauerte um unser kleines Leben. Für die erste Zeit nahm Matthias sich eine kleine Wohnung am neuen Arbeitsort und wir führten eine Wochenendbeziehung. War ich am Anfang untröstlich und traurig, dass er weg war, merkte ich mit der Zeit, dass es mir guttat, alleine zu sein. Ich vermisste ihn immer weniger und die Wochenenden waren oft so angespannt, dass ich mich freute, in der Woche ohne ihn auszukommen.
In dieser Zeit reifte in mir die Erkenntnis, dass meine Ehe, so wie ich sie zu führen vor dem Altar versprochen hatte, am Ende war. Wie sollte ich ein Ehebündnis aufrechterhalten, das schon vor langer Zeit seine Grundlage verloren hatte, das nur noch ein einseitiges Versprechen war? Kann das wirklich verlangt werden und ist es wirklich im Sinne des Sakraments der Ehe? Man spricht theologisch hinsichtlich des Ehesakraments vom Treuebruch durch Scheidung und Aufgabe der Ehe, aber ist nicht viel wesentlicher, dass diesem Scheitern eine einseitige Kündigung der Vertragsgrundlagen *innerhalb* der Ehe vorausgegangen ist? Diese Gedanken beschäftigten mich zunehmend.
Nach einer Zeit waren wir es nicht mehr gewöhnt, längere Zeit zusammen zu sein, und bei einer Urlaubsreise kam es dann zum endgültigen Eklat. Wir waren 24 Stunden am Tag aneinandergekettet, was wir nicht mehr gewohnt waren. Es gab kein Zusammenspiel mehr, alles wirkte gezwungen, Freude darüber, Zeit füreinander zu haben, wollte nicht aufkommen. Wir spulten unser Urlaubsprogramm ab, waren zusammen und doch nie einsamer als in diesen Tagen.

Ich fühlte keine Nähe zu ihm, es gab keinen Draht zueinander, es gab auch nichts mehr zu sagen, wir waren uns fremd geworden. Er meinte, das sei gar nicht ich, die sich da trennen wollte, er kenne mich nicht mehr. Als er mir gestand, dass er ein paar Monate zuvor heimlich ein Treffen mit der Frau hatte, mit der er mich zu Anfang unserer Ehe betrogen hatte, ging bei mir innerlich der letzte Rest von Gefühlen zu Bruch. Er habe wissen wollen, „ob da noch was ist". Das machte mir schmerzlich bewusst, wie sehr ihn das über all die Jahre beschäftigt hatte.

Wir wurden fast 30 Jahre nach unsrer Hochzeit geschieden. Ich bin Single, Matthias hat eine neue Partnerin gefunden. Keiner soll sagen, ich hätte es nicht versucht, es war eine Befreiung und für jeden von uns eine Chance für einen Neuanfang. Niemand heiratet mit dem Vorsatz, sich wieder zu trennen, aber es ist ein Gebot der Fairness und der Barmherzigkeit mit dem anderen, loszulassen, wenn der eingeschlagene Weg, die persönliche Entwicklung, nicht von beiden mitgetragen wird.

Für mich sehr schmerzlich war nicht nur das Scheitern meiner Ehe, sondern auch die damit verbundene Erkenntnis, dass ich nicht nur meine emotionale Heimat verloren hatte, sondern auch die Solidarität meiner Kirche. Denn wie soll ich Trost und Beistand auf jeder Ebene finden, wenn meine Kirche mir dies dadurch verweigert, dass ich an keinem Abendmahl mehr teilnehmen darf, dass ich von einer erneuten kirchlichen Heirat ausgeschlossen werde, dass mein persönlicher Karfreitag meine Kirche nicht interessiert? Ich hätte mich gerne wenigstens spirituell aufgehoben und geborgen gefühlt, ich verbinde mit einer lebendigen Kirche auch eine seelsorgliche Anteilnahme und Begleitung in Krisenzeiten, damit man wieder gestärkt und geläutert eine „Auferstehung", im wörtlichen wie im übertragenen Sinn, als Neuanfang erleben kann. Ich denke, dass Gott einem nie näher ist als in Zeiten der Krise, des Scheiterns und der durchkreuzten Lebenswege. Das lehrt mich jedenfalls der gekreuzigte und wieder auferstandene Jesus.

Manfred Maier*

Die Kirche schließt mich bewusst und dauerhaft aus

Was einen geschiedenen und wiederverheirateten Pastoralassistenten und Religionslehrer besonders schmerzt

Als mich einer der Herausgeber dieses Buches gebeten hat, meine persönlichen Erlebnisse und Eindrücke rund um meine Scheidung, Wiederverheiratung und meine derzeitige Beheimatung in der Kirche zu schildern, habe ich spontan zugesagt, einfach weil ich diesen Theologen schätze. In einer ersten gedanklichen Auseinandersetzung mit meiner Lage wurde mir aber schnell klar, dass dieses Thema in meinem jetzigen Leben eigentlich keine Rolle mehr spielt.

Ich bin Theologe, 49 Jahre alt und seit 16 Jahren glücklich in zweiter Ehe verheiratet. Wir haben zwei wunderbare Kinder, die uns mit 15 und 13 Jahren tatsächlich noch in den sonntäglichen Gottesdienst begleiten. Mein Beruf lässt vielfältige Begegnungen und Glaubenserfahrungen zu. Damals, zum Zeitpunkt der Wiederverheiratung, und auch in der Zeit danach hat das ganz anders ausgeschaut. Die Verletzungen waren tief, die Enttäuschung groß. Inzwischen habe ich meinen Frieden gefunden. Es war ein zähes Ringen, das immer wieder auch die neue Beziehung belastet hat.

* Der Name ist zum Schutz des Autors geändert.

Vom innigsten Moment der Eucharistiefeier ausgeschlossen

Bevor ich zu meiner persönlichen Geschichte komme, möchte ich von einer Begebenheit erzählen, die ich zu Beginn meines Theologiestudiums erlebt habe und die mich mit Vehemenz mit dem Thema konfrontiert hat: Wir feierten mit einer Pilgergruppe einen Gottesdienst in der Höhle, in der der heilige Benedikt zwei Jahre seines Lebens zugebracht hatte. Kurz vor der Kommunion sah ich, wie eine junge Frau aufstand und mit Tränen in den Augen die Kapelle verließ. Ich folgte ihr nach draußen und ohne Aufforderung beantwortete sie meine stumme Frage: „Ich bin geschieden und wiederverheiratet und immer, wenn es zum innigsten Moment im Gottesdienst kommt, bin ich ausgeschlossen." Ich kann mich noch genau an diesen Moment erinnern, der in mir starke Betroffenheit und Unverständnis auslöste. Wer kann es verantworten, einem verzweifelten, tiefgläubigen Menschen diese ersehnte Form der Gemeinschaft mit Gott zu verwehren?

Es ist fürchterlich, wenn Lebenspläne zerbrechen

Zehn Jahre später war ich selbst in der gleichen Situation. Zu meiner Scheidung haben sehr tragische Umstände geführt, die ich hier nicht näher erläutern möchte. Es ist fürchterlich, wenn Lebenspläne zerbrechen, Selbstvorwürfe quälen und für die Zukunft kein Lichtblick zu erkennen ist. Meine Handlungsfähigkeit war eine Zeitlang – auch aufgrund einer Körperverletzung – ziemlich eingeschränkt. Im Kopf spielte sich ein heilloses Durcheinander ab. In dieser tristen Lebenssitua-

tion war ich umgeben von wohlgesinnten Familienmitgliedern und Freunden, die sich um mich bemühten. Ihr „Dasein“, ihr Bemühen, ihre Gegenwart taten gut. Ein Freund zog sogar vorübergehend für ein paar Tage bei mir ein.
In der Auseinandersetzung mit der Schuldfrage konnten sie mir alle aber nur sehr wenig helfen. Da musste ich mit mir selbst ins Reine kommen. Was mir hier letztlich geholfen hat, war die Gewissheit, dass ich wirklich alles mir damals Mögliche versucht habe, um meine Ehe zu retten. Das heißt natürlich nicht, dass ich alles richtig gemacht hatte, aber die Integrität meiner Bemühungen war bis ins Innerste gegeben. Mit dieser gesicherten Erkenntnis rückte die Frage nach der Schuld in den Hintergrund. Die Meinung der anderen verlor an Bedeutung, die Reflexion war gründlich, ich war mir meiner wieder sicher. Das waren die inneren Voraussetzungen, um wieder nach vorne zu schauen und eine neue Beziehung zu beginnen.

Wie kann eine Kirche, die sich an Jesus orientiert, so menschenverachtend vorgehen?

Meine neue Beziehung entwickelte sich so gut, dass einer Hochzeit nichts mehr im Wege stand. Meine Frau und ich wollten bei unserer standesamtlichen Hochzeit ein äußeres Zeichen setzen, dass wir gläubige Menschen sind und uns für unsere Ehe den Beistand Gottes wünschten. Um uns dabei in einem kirchlich erwünschten bzw. erlaubten Rahmen zu bewegen, baten wir vor der Hochzeit um ein Gespräch mit dem damaligen Generalvikar unserer Heimatdiözese.
Es war einfach enttäuschend, erschütternd und beschämend, was dabei herauskam: Gerne hätten wir am Vormittag oder

am Vortag mit Familie und Freunden einen Gottesdienst gefeiert. Da ich die Ängste der Kirche kannte, dachten wir an einen schlichten Gottesdienst – ohne spezielle Texte. Die Antwort: Eine Messfeier in zeitlicher Nähe zur standesamtlichen Trauung ist nicht erlaubt. Eine Bibelstelle vor, nach oder während der standesamtlichen Trauung? Nicht möglich! Auch Fürbitten, eine Meditation oder ein Segensgebet wurden uns verweigert. Das Einzige, was uns der Generalvikar „anbieten" konnte, war ein Tischgebet beim Hochzeitsmahl. Ist das nicht einfach nur erbärmlich? Die unsagbare Enttäuschung und Hilflosigkeit, die ich damals empfand, kann ich hier gar nicht beschreiben. Dieses Gespräch brachte die Problematik rund um das Thema auf einen Punkt: Wenn ein geschiedener Mensch wieder heiratet, begibt er sich in eine Situation, die so verwerflich ist, dass die Kirche ein ganzes Leben lang im sprichwörtlichen Sinn keinen Segen in irgendeiner Form geben kann. Wir haben während der Trauung die Hochzeitsgäste gebeten, still für uns zu beten, da die Kirche andere Formen des Gebetes verboten hat. Die Betroffenheit war fast mit Händen greifbar.

Ich muss gestehen, dass mir rund um meine zweite Eheschließung alle möglichen Gedanken durch den Kopf gegangen sind. Ich haderte mit meinem Schicksal und stellte mir viele Fragen:

- Wie kann eine Kirche, die sich an Jesus orientiert, so menschenverachtend vorgehen?
- Über zehn Jahre war ich als Pastoralassistent und Religionslehrer im Dienst der katholischen Kirche tätig gewesen und jetzt ließ sie mich fallen.
- Was war mit all den Priestern, die ich kannte, die in einer „verwerflichen" Beziehung lebten? Hier gab es keine Konsequenzen und zum Teil ziemlich unerträgliche Verlogenheit.

- Wie kann man Menschen als Seelsorger zulassen, die absolut keine Kompetenz in Menschenführung haben?
- Wie kann der Generalvikar damit leben, dass er eine Bitte um den Beistand Gottes abschlägt? Glaubt er wirklich, dass ihm das zusteht? Beruft er sich dabei auf den Bischof, den Papst?

Jesus hat den Menschen ins Herz geschaut, die Verantwortlichen haben an uns keine einzige Frage nach dem Glauben gestellt. Die Kirche als Moralinstanz verlor für mich jede Glaubwürdigkeit, umso mehr als sie ihre Unfähigkeit in dieser Richtung fast täglich zur Schau stellte und auch heute noch stellt. An der Situation hat sich ja kaum etwas verändert, an meiner Sichtweise schon.

Die Kirche schließt mich bewusst und dauerhaft vom Empfang der Kommunion aus

Zunächst versuchte ich es in diversen Arbeitskreisen. Es müsste doch möglich sein, mit und innerhalb der Kirche Rituale zu entwickeln, die bei einem Neuanfang der Hoffnung auf den Beistand Gottes Ausdruck verleihen konnten. Des Weiteren beschäftigte mich die Frage nach der „Eintrittspforte“. Es muss doch eine Möglichkeit geben, irgendwann wieder in den Genuss dieses Sakramentes zu kommen. Bald musste ich erkennen, dass die Kirchenführung das ganz anders sieht und dass es schade ist um all die Energie und Sorgfalt, die in die Ausarbeitung von Leitlinien oder Ritualen für geschieden Wiederverheiratete gesteckt wird.

An eine Annullierung meiner ersten Ehe habe ich nie gedacht. Ich bin damals mit der gleichen Verantwortung, mit dem gleichen festen Willen und den gleichen Zukunftsperspekti-

ven in die erste Beziehung gegangen wie in die zweite. Es wäre für mich absurd, etwas zu annullieren, was mein Leben derart mitgeprägt hat. Weder im Kopf noch auf dem Papier möchte ich an der Ernsthaftigkeit und Verbindlichkeit der ersten Ehe rütteln.
Eines wurde immer mehr zur Gewissheit: Die Kirche schließt mich als geschieden Wiederverheirateten bewusst und dauerhaft vom Empfang der Kommunion aus, ganz egal wie sehr ich mich um meinen Glauben bemühe. Nur eine Trennung vom Partner oder der Tod des Partners würde etwas an dieser Situation ändern. Mit dieser Tatsache habe ich mich schon vor längerer Zeit abgefunden.

Ich weiß, dass Christus mir nahe ist

Bei speziellen Festen lasse ich es mir nicht nehmen, die Gemeinschaft und speziell die Glaubensgemeinschaft mit den andern Festteilnehmern auch durch den Empfang der Kommunion zu bekunden. Ansonsten halte ich mich an die kirchliche Regelung. Denn ich habe gelernt, die Verbindung mit Jesus auf andere Art aufrecht und lebendig zu halten. Eine regelmäßige Reflexion über meinen Glauben und meine Glaubensperspektiven führte zu einem klaren und eindeutigen „Ja" zu Jesus. Seine Botschaft soll in meinem Leben sichtbar werden. Ich weiß, dass Christus mir nahe ist. Diese Gewissheit hat auch dazu geführt, dass die Bitterkeit gegenüber der Kirche aus meinen Gedanken verschwunden ist. Eine Aussöhnung ist nicht nötig, da die Amtskirche für mich nur mehr eine sehr geringe Bedeutung hat.
Mein Blick richtet sich immer mehr auf die Menschen, die den christlichen Glauben zu leben versuchen. Hier habe ich

im kirchlichen Umfeld einige kennen und schätzen gelernt, wie beispielsweise unseren Ortspfarrer. Er ist für mich ein sehr wertvoller Mensch und Kirchenvertreter. Im Mittelpunkt seiner Handlungen und seiner Botschaft steht das Heil des Menschen. Er ist Seelsorger im besten Sinn und gibt uns echte Perspektiven mit auf den Weg. Ich bin ihm dankbar, dass er auf diese Art und Weise von kirchlicher Seite mitwirkt, unseren Kindern einen Zugang zum Glauben zu ermöglichen.

Ich habe eine Arbeit gefunden, bei der ich größtenteils mit christlich orientierten Menschen zu tun habe und auch selbst religiöse Impulse setzen kann. Was mich dabei wirklich beruhigt: Die Kirche hat auf meinen Arbeitsplatz weder inhaltlich noch organisatorisch einen Zugriff auf mich. Ich muss auch nicht mehr alle ihre Entscheidungen mittragen, verteidigen oder gar umsetzen.

… und wenn ich morgen kirchlich heiraten könnte, würde ich das nicht mehr nachholen. Denn mit meiner Beziehung zu meiner Frau ist es wie mit meiner Beziehung zu Gott. Sie ist auch ohne Sakrament lebendig, tief und echt. Ich weiß mich geborgen, geliebt und meistens auch verstanden.

Heinz Minkhaus

… bis dass der Tod euch scheidet

Unsere Scheidung ist erfolgt. Von Staats wegen. Und beide sind wir am Leben. Sind wir damit nach dem Recht der Kirche nicht geschieden? Welches Ereignis ist mit diesem „Tod" gemeint? Ist dies so eindeutig am Ende der körperlichen Lebensfunktionen eines der beiden Noch- / Ex- / Einst-Ehepartner festzumachen?
Fast ein Jahrzehnt vor unserer äußeren Trennung und späteren Scheidung hat einmal ein lebenserfahrener und weiser Therapeut über unsere vor Staat, Gesellschaft und Kirche eingegangene Verbindung geäußert: „Diese Ehe ist tot." Dieser Satz traf mich damals wie ein Keulenschlag. Ich wollte es nicht wahrhaben. Denn es durfte nicht sein. Die Ehe, die wir beide als gläubige Katholiken (oder was man gemeinhin als solche bezeichnet) mit großen Idealen eingegangen waren, die wir als Bund fürs Leben geschlossen hatten, diese Ehe sollte tot sein? Ich empfand dies wie ein Todesurteil auch für mich. Ich wollte es nicht wahrhaben. Ich fing an zu kämpfen. Ungezählte Eheberatungsgespräche bei verschiedenen Seelsorgern, Beratern, Therapeuten folgten.
Es dauerte lange, sehr lange, bis ich merkte, bis ich zu ahnen begann, wie richtig diese Aussage damals war. Und nicht nur unsere Ehe war schon lange tot, nein, auch ich war es. Und dies, falls man diesen Zustand als steigerungsfähig ansehen wollte, mehr und mehr. Oder gegenteilig formuliert: Ich fühlte mich im Laufe der Jahre immer weniger lebendig.

Wir waren voller Ideale. Der katholischen Ehemoral fühlten wir uns verpflichtet. Sexuelle Beziehung vor der Ehe sowie Anwendung künstlicher empfängnisverhütender Mittel in der Ehe waren für uns nicht akzeptabel. Wenn es auch nicht einfach war, so sahen wir dies doch als selbstverständlich an. Wir wollten zusammen den Himmel auf Erden verwirklichen, unseren Kindern den Weg zum Glauben ebnen, anderen Ehepaaren ein Vorbild sein auf diesem Weg des Glaubens. Über all dem natürlich: Wir wollten füreinander da sein, einer den anderen lieben.
Ich weiß heute nicht mehr, ob es jemals Liebe war, die uns zusammengeführt und mehr als 20 Jahre lang zusammengehalten hat. Ich weiß es nicht, da ich bis heute keine sichere Antwort auf die Frage habe, die in mir seit Jahren lebt: „Was ist Liebe?“ Doch ich habe eine Ahnung davon, dass vieles dabei eine Rolle gespielt hat, was mit Liebe sicher ziemlich wenig zu tun hat, was aber in unserem Kulturkreis sehr wohl und oft als Liebe bezeichnet wird und mit ihr verwechselt wird.
Wir beide brachten eine sehr prägende und sicherlich weitgehend unbearbeitete Elternerfahrung in die Beziehung mit, die meiner Meinung nach dazu führte, dass meine damalige Frau in mir ihren Vater und ich in ihr meine Mutter suchte und zu finden hoffte. Wenn ich bisher und im Weiteren von „wir“ spreche, dann unter der Vorwegnahme der Tatsache, dass ich den beschriebenen Sachverhalt bei mir tatsächlich behaupten, bei meiner Ex-Frau verständlicherweise meist nur vermuten kann. Wir erwarteten von dem anderen, dass er geben möge, was das Leben uns bisher durch Schicksal vorenthalten oder genommen hatte. „Ich liebe dich“ hieß oft und eigentlich „Ich brauche dich“. „Wenn du mir nicht gibst, was ich gerade brauche, dann bin ich verärgert, dann spüre ich Einsamkeit, Angst, Verzweiflung, Ohnmacht.“

Aber wie könnte ein Ehepartner jemals Elternliebe ersetzen? Somit waren diese vorgenannten Gefühle mit zerstörerischer Kraft vorherrschend, durchaus neben Phasen der Freude und des gemeinsamen Glücks, die sich zumindest in der ersten Hälfte unseres gemeinsamen Weges auch, später dann leider immer seltener, einstellten. Und aus den negativen Gefühlen erwuchsen immer wieder Vorwürfe, Schuldzuweisungen, Abwertungen auf der einen und Rückzug, Depression, Verschlossenheit auf der anderen Seite.

Bereits zu Beginn waren die belastenden Gefühle und deren entsprechende Äußerungen allzu oft vorhanden. Sie mehrten sich in Häufigkeit und Intensität im Lauf der Jahre, in den letzten Jahren derart rasant, dass eine Steigerung kaum noch denkbar war und nahezu keinerlei Raum für eine Begegnung blieb, die die Bezeichnung „liebevoll" verdient hätte. Vom Morgen eines Tages bis zu seinem Ende Wut, Verzweiflung, Vorwürfe, Schuldgefühle, gleichzeitig Ohnmacht, Hilflosigkeit und dabei trotz allen Strampelns lähmende Stagnation. Da war kein Hoffnungsschimmer mehr. An heftigen Tagen zeigten sich diese verschiedenen Gefühle mit ganzer Wucht, an „guten" Tagen fanden wir in Begegnungslosigkeit Erleichterung. Von den guten und den bösen Tagen, von denen in unserem Eheversprechen die Rede gewesen war, waren nur noch die letzteren übrig geblieben.

Und trotz allem hielt uns neben dem Idealanspruch einer katholischen Ehe, neben der Sorge um die gemeinsamen Kinder, neben gemeinsamem Besitz und Sorge um dessen Verlust vor allem die oben bereits angedeutete Abhängigkeit zusammen. Gedanken wie „ich kann ohne dich nicht leben", „ich brauche deine Liebe, deine Zuwendung und Fürsorge, um glücklich werden zu können" oder Ähnliches ließen die Möglichkeit einer Trennung überhaupt nie in Erscheinung

treten. „Trennung? Das ist etwas, das uns nichts angeht. Das ist kein Thema für uns.“ Eben undenkbar.
Mein vorherrschendes Lebensgefühl in dieser Beziehung lag von Anfang an und mit fortschreitender Dauer mehr und mehr in der Frage: „Was muss ich tun, was darf ich nicht tun, wie muss ich mich verhalten, um die Zuneigung meiner Frau wiederzugewinnen, sie zu erhalten oder sie nicht zu verlieren?“ Bei allem, was ich tat, plante, sprach, drängten sich diese Gedanken immer wieder auf. Gedanken, die mich lähmten, die immer wieder genau das bewirkten, was ich doch zu verhindern hoffte. Gedanken, die mich allzu oft daran hinderten, mir selbst treu zu sein und zu mir zu stehen, zu dem, was ich eigentlich will. Gedanken, die sich in einem immer stärker werdenden Gefühl manifestierten: Angst.
Irgendwann während eines langen und sehr schmerzhaften Prozesses wurde mir klar: Ich habe in dieser Beziehung keinen Raum mehr. Ich sehe keine Möglichkeit zu wachsen, zu mir selbst zu finden. Das oben genannte Undenkbare wurde zur einzigen Möglichkeit, nicht weiter schuldig zu werden an und in meiner Familie, an mir selbst und am christlichen Gebot der Selbstliebe als Voraussetzung jeder Nächstenliebe.
Ich ging den Weg der Trennung. Ich war vom Anfang dieses Weges bis heute zutiefst davon überzeugt, dass es der richtige, der wohl einzig richtige Weg für mich war. Ein Weg des Lebens, ein Weg der Liebe.

Lisa und Jogi Schneider

Wie zwei getrennte Wege zusammenfanden

Lisa

Ich lernte meinen Mann 1981 auf unserer gemeinsamen Arbeitsstelle kennen. Ich war damals 21 Jahre alt und psychisch nicht besonders stabil. Aber Andreas verliebte sich in mich. Obwohl ich erst nicht auf eine Beziehung eingehen wollte, bemühte er sich weiter. Und wir wurden ein Paar.
Über meine seelische Befindlichkeit ließ ich ihn nicht im Unklaren. Aber er meinte, dass wir das schon gemeinsam hinkriegen würden. Da bei mir ein starker Kinderwunsch da war, heirateten wir schon nach einem halben Jahr, allerdings nur standesamtlich, da weder er noch ich einen Bezug zu einer Kirche hatten. Ich komme zwar aus einem katholischen Elternhaus, aber der Glaube wurde in unserer Familie nicht gelebt.
Ich trat aus der katholischen Kirche aus. Mein Mann gehörte einer evangelischen Freikirche an. Im Dezember 1982 wurde unsere Tochter geboren, 13 Monate später unser Sohn. Wir hatten eigentlich von Anfang an partnerschaftliche Probleme, die wohl in meiner Vergangenheit begründet sind, was ich aber damals nicht wusste. Die Liebe zueinander war stark, aber von mir aus nur eingeschränkt zu leben, was natürlich eine enorme Belastung für meinen Mann war. Ich nahm psychotherapeutische Hilfe in Anspruch. Aber gehol-

fen hat sie mir nicht. Wir beide haben immens um unsere Beziehung gekämpft, auch um unseren Kindern die Familie zu erhalten.
1988 zogen wir wegen eines Arbeitsstellenwechsels meines Mannes nach Hessen. Der Arbeitgeber war die Freikirche, der mein Mann angehörte. Hier gab es ein sehr reges Gemeindeleben. So sang ich im Kirchenchor mit. Unsere Kinder nahmen am Kindergottesdienst teil und waren auch sonst in der Gemeinde aktiv. Ich ging am Sonntag regelmäßig zum Gottesdienst. So bekam ich langsam einen Zugang zum Glauben. An unserer ehelichen Situation änderte sich dadurch aber nichts. Wir beide litten sehr darunter. Mein Mann sehnte sich sehr nach meiner Nähe. Ich wusste um seine Schmerzen und seine Verzweiflung, konnte mich aber nicht gut auf ihn einlassen, wodurch ich mich sehr schuldig fühlte. Aber wir kämpften weiter. Wir erlebten auch Zeiten, in denen es besser ging. Aber gut funktionierte unsere Ehe nie, trotz der Liebe, die wir füreinander empfanden.
Auf Dauer hielt unsere Beziehung den Belastungen nicht stand. Wir kamen 1997 zu dem Entschluss, uns zu trennen. Wir hatten eine fürchterliche Zeit erlebt, vor allem auch wegen der Kinder. Mein Mann nahm sich eine kleine Wohnung. Der Kontakt blieb bestehen. Der Umgang mit den Kindern war spontan und unproblematisch.
Besonders in dieser Zeit war mir mein neu gewonnener Glaube sehr hilfreich. Ich habe manches „Stoßgebet“ zum Himmel geschickt.
Nach einem Jahr der Trennung erfuhr ich, dass mein Jugendfreund Jörg, für den ich schon immer viel empfunden hatte, auch in Trennung lebte. Ich rief ihn spontan an. Er lebte in Bremen. Wir trafen uns und daraus entstand eine Liebesbeziehung. Ich konnte einen Neuanfang wagen, auch weil ich

mittlerweile um einiges reifer und „erwachsener" geworden war.
Jörg war und ist ein gläubiger Katholik. Er ging regelmäßig zum Sonntagsgottesdienst. Ich begleitete ihn, wenn ich am Wochenende bei ihm zu Besuch war. Mir war zwar alles, was ich dabei wahrnahm, etwas fremd und ich fühlte mich nicht wirklich wohl. Aber das änderte sich mit der Zeit. Immer mehr war ich wirklich mit dem Herzen und dem Geist dabei.
Aufgrund der weiten Entfernung beschlossen wir im Jahre 1999, dass ich zu Jörg ziehen werde. Wir waren uns sicher, dass wir zusammenbleiben wollten. Ich fand eine Arbeitsstelle in Bremen und wir wohnten nun zusammen.
2004 wechselte ich dann nochmals meine Stelle und fing bei einem katholischen Träger an zu arbeiten. Auf dieser Arbeitsstelle wurde ich täglich mit gelebtem Glauben konfrontiert. Ich begann, mich mit dem katholischen Glauben intensiv zu beschäftigen. Es kam in mir ein ganz starkes Bedürfnis auf, einen immer näheren Kontakt zu Gott zu bekommen.
Und ich bekam ihn. Nun fühlte ich mich endlich geborgen. Heute denke ich, dass mein Wechsel zu dieser Arbeitsstelle wie so vieles in meinem Leben göttliche Führung war, auch wenn ich noch nicht alles verstehen kann.
Im Jahr 2007 beschlossen Jörg und ich zu heiraten. Bei uns beiden war der Wunsch da, unsere Ehe nicht nur staatlich legitimieren zu lassen. Wir wollten sie gerne mit dem Segen Gottes beginnen und unter seinen Schutz stellen. Wir hatten das Glück, einen Priester zu finden, der uns diesen Wunsch erfüllte und mit uns eine wunderschöne Segensfeier gestaltete.
Im Sommer 2008 trat ich schließlich aus voller Überzeugung und mit tief empfundener Liebe zu Gott wieder der katholischen Kirche bei. Für mich ist es aber bitter, von dieser Kir-

che als Ehebrecherin behandelt zu werden und von den Sakramenten ausgeschlossen zu sein, weil wir als Geschiedene nicht kirchlich heiraten können. Ich war im Unterschied zu meinem Mann nie kirchlich verheiratet. Auch war ich nicht der Scheidungsgrund meines jetzigen Mannes. Ich bin aber mit seiner Hilfe aus Überzeugung Katholikin geworden.
Ich habe an mir und meinem Mann und vielen Bekannten erlebt, dass wohl die wenigsten leichtfertig ihre Ehe beenden. Aber manchmal kann eine Trennung die bessere Lösung sein, zum Beispiel dann, wenn beide Partner durch die Fortsetzung ihrer Ehe seelisch zugrunde gehen würden.

Jogi

Meine Ehe begann im Juli 1983 in einer Pfarrkirche in Bremen und endete im September 1998 im Amtsgericht Bremen-Lesum. Heute kann ich sagen, dass meine erste Frau und ich eine gute und „normale" Ehe mit allen Höhen und Tiefen geführt haben. Unser ganzer Stolz waren unsere Kinder, die 1984 und 1987 geboren wurden.
1992 zogen wir in unser neues Haus mit großem Garten. Wir erlebten eine glückliche Zeit. Nichts trübte dieses Glück. Um unseren Wohlstand zu halten und weiter auszubauen, habe ich sehr viel gearbeitet, meistens 12 bis 13 Stunden am Tag und zusätzlich noch jeden zweiten Samstag. Es hat mir nichts ausgemacht, so viel zu arbeiten, im Gegenteil. Mir hat die Arbeit Spaß gemacht. Schließlich sicherte sie der Familie den Wohlstand. Heute weiß ich, dass mein Ehrgeiz einer der Gründe war, weswegen unsere Ehe scheiterte.
1996 sagte mir meine Frau, sie hätte gerne noch ein Kind. Dann begann die Krise. Ich sagte ihr: „Ohne mich! Ich bin

froh, dass die Kinder jetzt schon so groß sind. Ich habe keine Lust, noch mal von vorne anzufangen!"

Ein halbes Jahr später war meine Frau schwanger. Meine Reaktion war zunächst sehr negativ. Aber schon einen Tag später habe ich mich positiv geäußert. Zwei Wochen später hat sie aber das Kind verloren. Meine Frau hat mir schwerste Vorwürfe gemacht. Weil ich das Kind zunächst nicht gewollt habe, hätte sie es verloren.

Ab diesem Zeitpunkt war zwischen uns nichts mehr normal. Als meine Frau dann noch den von uns beiden geliebten Hund, der 15 Jahre unser treuer Freund war, zum Tierarzt brachte und ihn einschläfern ließ, ohne dass ich etwas davon wusste, empfand ich ein Gefühl der Ohnmacht, Wut und Trauer. Aber ich hätte zu diesem Zeitpunkt nicht im Traum daran gedacht, dass meine Frau mich ein Jahr später verlassen könnte. Ich war naiv und dachte: Das ist eine Krise, die sich schon wieder einrenken wird.

Dann kam der Horrortag: Ich war zehn Tage in Hamburg auf einer Lebensmittelmesse und freute mich, wieder nach Hause zu kommen. Irgendwie hatte ich aber ein komisches Gefühl im Bauch, als ich bei uns in die Straße einbog. Leute, die mich sonst nett begrüßt hatten, schauten jetzt verstohlen in eine andere Richtung, als sie mich sahen. Ich sperrte die Haustür auf. Da war der Alptraum perfekt: Das Haus war komplett ausgeräumt. Meine Frau war mit den Kindern ausgezogen – zu ihrem neuen Freund. Ich Volltrottel hatte vorher nichts davon bemerkt.

Was da in einem vorgeht, kann sich niemand vorstellen, der nicht schon eine ähnliche Situation durchlebt hat: Verzweiflung, Wut, Hass, Mordgelüste, Suizidgedanken, Selbstmitleid, unendliche Trauer, Angst, Panik. „Wie soll das Leben jetzt weitergehen? Soll es überhaupt weitergehen?"

Wer kann jetzt helfen? Deine Familie, deine Freunde, deine Nachbarn? Mit wem kann ich über meine Schmerzen sprechen, über meine Trauer? Niemand ruft an, keiner klingelt. So geht es Stunden, Tage. In meiner Verzweiflung ging ich zur Kirche. Ich habe keine Ahnung, wie lange ich da war. Aber es hat mich etwas berührt: Ich wurde ruhiger und hatte das Gefühl, nicht alleine zu sein. Zum ersten Mal seit Tagen konnte ich wieder einen klaren Gedanken fassen. Es muss weitergehen!

Als ich dann nach Hause fuhr, hatte ich den klaren Entschluss, mich nicht unterkriegen zu lassen.

Zu Hause angekommen, sah ich, dass ich eine Nachricht auf meinem Anrufbeantworter hatte: „Hallo, Jogi, hier spricht Lisa. Ich habe gehört, was bei dir los ist. Ich bin auch seit einem Jahr getrennt. Vielleicht können wir uns ja mal treffen und ein wenig miteinander plaudern. Wenn du Lust hast, kannst du dich mal melden. Liebe Grüße."

Das war vor 14 Jahren. Mittlerweile bin ich mit meiner Jugendliebe Lisa glücklich verheiratet. Zu meinen Kindern und meinen Stiefkindern habe ich ein ausgezeichnetes Verhältnis. Ich bin stolzer Opa und demnächst auch noch Stiefopa. So ist es: Gottes Wege sind unergründlich. Denn wer auf Gott baut, der hat auf keinen Sand gebaut. Allerdings bin ich fest überzeugt: Die Kirche soll sich nicht von Geschiedenen distanzieren, sondern im Gegenteil sich mehr für sie engagieren. Denn oft ist die Seelsorge die letzte Instanz zwischen Hoffnung und Hoffnungslosigkeit.

Es ist gut zu wissen, dass es Seelsorger gibt, die so denken und handeln und trotz aller Vorschriften den Segen Gottes bei erneuter Eheschließung nicht verwehren. Und als tröstlich habe ich es empfunden, als ein Priester zu mir sagte:

„Wenn es dir ein inneres Bedürfnis ist, zur Kommunion zu gehen, dann tue es. Niemand wird dir die Kommunion verwehren."
Bei so viel Solidarität ist mir nicht bange um die katholische Kirche. Ich hoffe, dass es nur eine Frage der Zeit ist, dass sich auch die Kirchenoberen dazu bekennen, Geschiedene und auch wiederverheiratete Geschiedene als vollständige Kirchenmitglieder zu akzeptieren.

Erfahrungen und Praxis von Seelsorgern

Hansjörg Sammer*

Es ist für mich keine Frage, der Bitte um Segen nachzukommen

Lernprozesse und Grundentscheidungen eines Pfarrers

Ich stamme aus einer einfachen Arbeiterfamilie. Meine Eltern haben 1950 geheiratet und hatten mit viel Arbeit und viel Fleiß uns vier Kindern ein schönes, harmonisches Zuhause geschaffen. Einige Monate nach dem 45. Hochzeitstag ist mein Vater verstorben. Ich erlebte bei meinen Eltern eine harmonische Ehe, die von vollem Vertrauen aufeinander und vom Wunsch, sich selbst und den Kindern praktisch aus dem Nichts ein schönes Heim zu schaffen, geprägt war. Daraus ergab sich, dass Zusammenhalt und sehr viel Arbeit ihre Ehe bestimmten. Der obligate sonntägliche Kirchgang und ihr tägliches gemeinsames Morgen- und Abendgebet prägten ihr Gottvertrauen. Aus diesem religiösen Hintergrund heraus war es für meinen Vater klar, am Sonntag nicht zu arbeiten und ihn als Tag der Ruhe und als Tag der Familie zu gestalten. Das wiederum kam uns Kindern sehr zugute.

* Der Name ist zum Schutz des Autors geändert.

Als junger Priester von einer Trennungsgeschichte verunsichert

Bis zu meiner Priesterweihe habe ich in der eigenen Verwandtschaft keine Scheidung erlebt, lediglich eine Cousine hatte einen geschiedenen Mann geheiratet. Somit waren Fragen um Ehescheidung und Zweitehe für mich eher ein theoretisches Problem, zu dem ich im Studium nur etwas gelernt hatte. Erst in meinen ersten Kaplansjahren wurde ich durch konkrete Situationen mit dem „Problem" Scheidung konfrontiert.

So erinnere ich mich noch sehr gut, als eines Tages ein junger Mann, dessen Sohn ich ein Jahr vorher getauft hatte – es war meine erste Taufe gewesen – mit seiner Schwägerin zu mir kam. Beide gestanden mir, dass sie ihre Ehepartner verlassen hatten und dass sie die Liebe, die sie schon seit Jahren füreinander empfunden hatten, nun auch miteinander leben wollten. Ich erinnere mich noch genau an meine Unsicherheit und an die letztlich riesengroße Überforderung mit dieser Situation. Hier wurde ich zum ersten Mal mit realen Lebens- und Eheproblemen und mit der Frage der Scheidung konfrontiert. Mein meist oberflächliches Urteilen und mein moralisches und kirchenrechtlich angelerntes Wissen haben damals erste Risse, Sprünge und Fragezeichen erhalten. In den folgenden Priesterjahren sind noch sehr viele Lebensgeschichten mit Beziehungsproblemen hinzugekommen.

Orientierung an der Bibel und am Sein und Handeln Jesu

Im Buch Exodus lesen wir von der Begegnung des Mose mit Gott beim brennenden Dornbusch. Für mich hat das Wort, das Gott zu Mose sprach, noch immer Gültigkeit:
„Ich habe das Elend meines Volkes, das in Ägypten ist, wohl gesehen [...] ja ich kenne seine Leiden. [...] So gehe nun! [...] Ich werde mit dir sein! [...] Da sprach Gott zu Mose: Ich bin der Ich-bin!" (Ex 3,7 ff). Gott stellt sich dem Mose als der dar, der für die Menschen da ist, besonders für die, die in Not sind und Probleme haben.
Mit der Geburt Jesu, des Emmanuel, des Gott-mit-uns, hat Gott das eindeutig bekräftigt. Gott ist für die Menschen da, damit sie das Leben haben und es in Fülle haben (Joh 10,10). Wenn wir das Reden und Tun Jesu betrachten, dann hat Jesus dieses sein Wort doch klar hörbar und sichtbar gemacht. Jesus ist immer wieder zu den Kranken, Kleinen, Sündern und Ausgestoßenen hingegangen, hat sie berührt, ihnen die Sünden verziehen, sie geheilt, sie in die Mitte gestellt, sie aufgerichtet und Umkehr und Neuanfang ermöglicht. Ist das nicht vorrangig auch die Aufgabe seiner Kirche? Sollten Menschen durch den Dienst der Kirche nicht auch geheilt, ermutigt, aufgerichtet, mit neuer Kraft und neuem Leben erfüllt werden?
Papst Johannes Paul II. hat in seiner ersten Enzyklika „Redemptor hominis" den Menschen als Weg der Kirche bezeichnet! Wenn das stimmt, dann muss die Kirche auch den Weg der Menschen gehen, auch der Menschen, die krank sind, die sündhaft sind, die nicht allen Normen entsprechen, die ausgebeutet werden, deren Ehen gescheitert sind. Wäre es nicht Aufgabe unserer Kirche, gerade diesen Menschen

entgegenzugehen, nachzugehen, mit ihnen mitzugehen, wie der Auferstandene mit den Emmausjüngern mitgegangen ist und sich ihre Sorgen und Erlebnisse angehört hat? (vgl. Lk 24,13–35).

Dieses Mitgehen des Auferstandenen mit den Emmausjüngern in ihre Richtung fasziniert mich immer aufs Neue. Der Auferstandene hätte auch stehenbleiben können oder sie in seine Richtung drängen können. Aber nur durch sein Mitgehen und Zuhören werden die Emmausjünger sich verstanden und in ihrer Traurigkeit ernst genommen gefühlt haben. Dazu drängt sich für mich noch die Begegnung Jesu mit dem blinden Bartimäus ins Gedächtnis (vgl. Mk 10,46–52). Als der Blinde vor ihm steht, fragt ihn Jesus: „Was willst du, dass ich dir tun soll?“

Pastorale Leitlinien im Umgang mit Erfahrungen des Scheiterns

Diese Bibelstellen sind für mich als Pfarrer besondere Leitlinien in meinem Umgang mit den Menschen, besonders mit jenen, deren Ehe am Zerbrechen ist oder bereits zerbrochen ist. Wenn ich als Kind und Jugendlicher mit dieser Wirklichkeit so gut wie nie konfrontiert wurde, so begegnet mir diese Situation als Priester heute immer wieder. Auch wenn ich kaum die „große Hilfe“ geben kann, so kann ich doch zuhören und ein Stück ihres Lebensweges mitgehen.

Ich erinnere mich noch gut an eine Diskussion bei einer Dekanatskonferenz, wo es um das Thema „Ringsegnung“ bei standesamtlicher Wiederverheiratung gegangen ist. Einige Priester waren der Meinung, dass da „nichts geht“, weil die Kirche für diese Situation nichts hat. Ich bin damals dafür eingetreten, dass wir uns als Priester mindestens eine Stunde Zeit nehmen müssten für ein Gespräch mit einem Paar, das nach der Scheidung der ersten Ehe eines oder beider Partner sich standesamtlich wieder verheiraten will. Erst nach einer Stunde, so meine Meinung, sollten wir sagen, ob wir für sie wirklich nichts tun können.

Mir scheint dieses Gespräch sehr wichtig zu sein, da wir dabei die vielen Nöte, Leiden, Sorgen, Ängste, Hoffnungen und Sehnsüchte eines Paares kennenlernen können und manches dann für uns in einem anderen Licht erscheint. Ich habe das Gefühl, dass vielen Bischöfen, Theologieprofessoren und Angestellten in den verschiedenen Ämtern des Vatikans solche persönlichen Gespräche mit betroffenen Eheleuten fehlen. Von oben herab und per Gesetz lässt sich nicht alles so klären, dass es wirklich für jede und jeden heilsam ist.

Das Kirchenrecht hat nicht auf alles eine Antwort

Im Erwachsenenkatechismus der Deutschen Bischofskonferenz vom Jahr 1985 heißt es dazu: „Das kirchliche Recht kann nur eine allgemein gültige Ordnung aufstellen, es kann jedoch nicht alle oft sehr komplexen einzelnen Fälle regeln." Wenn dem so ist, dann kann man meiner Meinung nach nicht mehr einfach sagen: Wir haben ein Kirchenrecht und damit ist das Problem der geschieden Wiederverheirateten erledigt.

Die derzeitige kirchliche Rechtslage zum Thema „Geschieden-Wiederverheiratete" ist klar geregelt, und das ist auch gut so. Trotzdem sollte mehr nach Möglichkeiten und Lösungen gesucht werden, dass der Ausschlusscharakter für Geschieden-Wiederverheiratete nicht so massiv dasteht. Bereits die Bischofssynode von 1980 sagte: „In der pastoralen Sorge für ihre Gläubigen wünscht die Synode, dass man sich einer neuen und tieferen Untersuchung dieses Themas widmet, [...] um auf diese Weise die pastorale Barmherzigkeit besser deutlich zu machen."

Ich frage mich, was in den letzten 32 Jahren seit der Bischofssynode diesbezüglich in Auftrag gegeben worden oder gar geschehen ist. Einige Äußerungen des Papstes haben in den letzten Jahren die Diskussion wieder entfacht und die „Vatikanische Mauer" zu diesem Thema eher höher werden lassen. Die Enzyklika „Familiaris consortio" (1981) hat diesbezüglich wenig Ermutigendes gebracht. „Zusammen mit der Synode möchte ich die Hirten und die ganze Gemeinschaft der Gläubigen herzlich ermahnen, den Geschiedenen in fürsorgender Liebe beizustehen, damit sie sich nicht als von der Kirche getrennt betrachten, da sie als Getaufte an ihrem Leben teilnehmen können, ja dazu verpflichtet sind."

Man kann sich fragen, ob so etwas motivierend klingt, wenn geschieden Wiederverheiratete immer wieder hören, dass sie vom Empfang der Sakramente ausgeschlossen sind. Haben der Papst oder seine Berater beim Schreiben dieses Textes auch an einfache Christen und Christinnen gedacht, die keine große theologische Vorbildung haben, die zwar durch die Taufe und bei uns in Österreich und Deutschland durch das Bezahlen des Kirchenbeitrages noch Mitglied der katholischen Kirche sind, aber so gut wie kaum am Gemeindeleben einer Pfarre teilnehmen oder mit einer gewissen Regelmäßigkeit Sonntagsgottesdienste besuchen. Ich vermute, dass viele Betroffene sich wenig um Vorschriften der Kirche kümmern, sie meist etwas verkürzt lesen oder verkürzt kirchlich denken und sich daher nicht mehr angesprochen fühlen. Viele haben sich innerlich von der Kirche verabschiedet und sind lautlos ausgezogen. Leider wird diese Gruppe von der Kirchenleitung kaum bis gar nicht wahrgenommen.

Die Betroffenen kommen nicht mehr

Die Zahl derer, die als geschieden Wiederverheiratete ein Gespräch mit einem Priester suchen, ist sehr gering. Wenn es nach der Zahl derer geht, die bei mir als Pfarrer in den letzten 22 Jahren in meinen Pfarren um ein klärendes Gespräch angefragt haben, dann müsste ich sagen: Das Problem gibt es eigentlich nicht mehr. Kann es sein, dass die Betroffenen durch das bestehende Gesetz und durch diverse Äußerungen von Seiten Roms und durch entsprechende Medienmitteilungen grundsätzlich jede Hilfestellung von Seiten der Kirche abgeschrieben haben, und das auch dann, wenn man versucht, als Pfarrer offen zu sein und Gesprächsbereitschaft signalisiert?

Meiner Meinung nach müsste von Seiten der Kirchenleitung viel öfter geäußert werden, dass ein Kirchenrecht nicht allen Fällen gerecht werden kann und dass jede Situation extra angeschaut werden müsste. An erster Stelle der Aussagen unserer Kirchenleitung sollte die Einladung zum Gespräch stehen. Nicht das Kommunionverbot, sondern die Barmherzigkeit Gottes soll im Vordergrund stehen, aus der sich die Barmherzigkeit der Kirche ergibt. Brauchen nicht gerade die Schwachen, die Sünder, die Gedemütigten und die Ausgestoßenen eine leibhaftige Begegnung mit Jesus? Kommunion soll doch nicht eine Belohnung für die Guten, Braven und Getreuen sein.

Berührende Gespräche und neues Glück

Wenn ein Paar wirklich das Gespräch sucht, dann ist das für beide Seiten sehr bereichernd. Gerade mein letztes Gespräch habe ich so erlebt. Ich kannte die Frau schon seit einiger Zeit, wusste aber nicht, dass sie vor 20 Jahren einen geschiedenen Mann geheiratet hatte. Da ich erst seit einigen Jahren in dieser Pfarre tätig bin, wusste ich auch nicht, dass diese Frau vor ihrer Heirat in der Pfarre sehr aktiv war. Bei einer Fußwallfahrt ergab sich am zweiten Tag ein längeres Gespräch, bei dem sie mir ihre Situation schilderte. Immer wieder war ihr Schmerz herauszuhören, dass sie sich eigentlich von der Gottesdienstgemeinde ausgeschlossen fühlt. Trotzdem kam sie regelmäßig zum Sonntagsgottesdienst, während ihr Mann nie zu sehen war. Wir hatten ein weiteres Gespräch zusammen mit ihrem Mann vereinbart. Auch dieses Gespräch war berührend und geprägt von Offenheit und Ehrlichkeit. Nach einer Zeit des Nachdenkens konnten sie mit ihrem Gewissen vereinbaren, dass sie wieder zur Kommunion gehen werden. Ich werde die glücklichen und erlösten Gesichter der beiden bei ihrem ersten gemeinsamen Kommunionempfang sicher nie mehr vergessen. Seit dieser Zeit begleitet der Mann seine Frau fast regelmäßig zum Sonntagsgottesdienst. Sie ist inzwischen wieder begeisterte Lektorin, wie sie es vor ihrer Hochzeit als Jugendliche auch war. Für meine Begriffe eine glückliche Entscheidung, die durch gute Gespräche herbeigeführt wurde.

Gerne hätte ich diese Frau auch im Pfarrgemeinderat gehabt, da sie die Gruppe der Geschieden-Wiederverheirateten gut vertreten hätte. Sie konnte leider aus zeitlichen Gründen nicht kandidieren. Ich bin diesbezüglich noch auf der Suche und ich hoffe, dass geschieden Wiederverheiratete vom Pfarrgemeinderrat zumindest kooptiert werden. Nur wer die Situation selbst erlebt, kann authentisch diese Gruppe vertreten.

Offenheit signalisieren und Segen zusprechen

Erst wenn wir als Priester mit diesem Problem konfrontiert werden, können wir den Betroffenen durch unsere Predigten, Pfarrblattartikel und Gespräche signalisieren, dass wir für sie offen sind. Wer in dieser Situation ist, hört auf die „Zwischentöne" unserer Reden und liest auch zwischen den Zeilen. Für mich als Pfarrer ist es keine Frage, der Bitte um den Segen rund um die standesamtliche Trauung bei einer Wiederverheiratung nachzukommen. Natürlich vermeide ich, so gut das geht, alles, was einer kirchlichen Trauung ähnlich erscheint. Ich spreche auch klar die Situation an, dass aus bekannten Gründen keine kirchliche Trauung stattfinden kann. Doch der Bitte des Brautpaares um den Segen Gottes will ich gerne nachkommen. Wer kann schon, wenn er Gott verkündet und die Großtaten Gottes feiert, jemandem ernsthaft die Bitte um Segen abschlagen? Das wäre für mich ein großer Widerspruch. Von Jesus weiß man es aus der Bibel auf alle Fälle anders. „Seid barmherzig, wie es auch euer Vater ist" (Lk 6,36). Für mich als Pfarrer ist es ein großer Schmerz, wenn Ehepaare sich scheiden lassen. Zu den großen Freuden zählen für mich glückliche Ehepaare und gelungene Beziehungen.

Franz Harant

Gebet und Segen für Paare in ziviler Zweitehe

Im Bemühen um eine menschenfreundliche Pastoral mit Geschiedenen, die eine zweite Zivilehe eingehen bzw. eingegangen sind, hat die Diözese Linz nach zwei wesentlichen Entwicklungsprozessen (1985 bis 1986 und 1997 bis 1999) eine Praxis entwickelt, die sich bewährt. So wurden im April 1986 als Ergebnis des ersten Prozesses vom Pastoralrat, dem Priesterrat und der Dechantenkonferenz die „Orientierungen für die Seelsorge in der Diözese Linz“ veröffentlicht. In der Präambel wird einerseits auf „die klare Linie der Wahrheit über die Ehe als Dauerbindung“ hingewiesen und andererseits darauf, dass diese im Hinblick auf die Tatsache, dass Ehen scheitern, durch „eine Haltung respektvoller Barmherzigkeit derart zu ergänzen ist, dass keine der beiden Wirklichkeiten zu kurz kommt“[1]. In der Folge wird auf die Situation von wiederverheiratet Geschiedenen und die Entwicklungen in der Kirche eingegangen. In den Orientierungen für die Pastoral geht es zunächst um das vorbeugende Engagement für die Ehe, das Verhalten bei Krisen und die Integration der wiederverheirateten Geschiedenen in die Gemeinde.

Gesprächspastoral und Hochachtung vor dem Gewissensurteil der Betroffenen

Kernstück dieser nun schon über 25 Jahre bewährten Orientierungen bildet die Gesprächspastoral. Wie Papst Johannes Paul II. in Familiaris consortio[2] nahelegt, werden die Seelsorger und Seelsorgerinnen darauf hingewiesen, zu ausführlichen Gesprächen bereit zu sein und jeweils auf die besondere Situation des Paares einzugehen.

- Dabei ist zu prüfen, ob die Konfliktsituation auf dem Rechtsweg geklärt werden kann.
- Wenn die Rückkehr zum ersten Partner objektiv und subjektiv nicht mehr möglich ist, ist zu klären, ob die Bereitschaft vorhanden ist, „die mit dem Scheitern der sakramentalen Ehe und der Wiederverheiratung unter Umständen verbundene Schuld anzuerkennen und bestehende Verpflichtungen (gegenüber dem ersten Partner und den Kindern) nach Kräften zu erfüllen".
- Weiterhin ist zu prüfen, ob „die neue Verbindung auf der Grundlage beiderseitig erklärten Ehewillens" steht und „die Bereitschaft zu einem entsprechenden christlichen Zusammenleben sowie die Kinder christlich zu erziehen" besteht.
- Mitberücksichtigt wird auch, ob sich ein „öffentlicher Sakramentenempfang verantworten" lässt und
- ob „das Verlangen nach den Sakramenten von lauteren Motiven bestimmt" ist.[3]

In der Folge wurden in der Diözese Linz (wie später auch in anderen österreichischen Diözesen) Seelsorger zur Führung derart differenzierter Gespräche ausgebildet und die Bildung der Gemeinden zu einem sensiblen Umgang mit wiederverheiratet Geschiedenen vorangetrieben.

Ziel dieser pastoralen Begleitung ist, dass Paare z. B. bezüglich Kommunionempfang eine eigenständige und gewissenhafte Entscheidung treffen – orientiert an der Lehre der Kirche und unter Berücksichtigung der konkreten Situation. Der Seelsorger bzw. die Seelsorgerin kann dahingehend begleiten und die Redlichkeit des Weges und des persönlichen Gewissensurteils bestätigen. „Die Einschätzung ihrer Lebenssituation vor Gott kann unter Berücksichtigung aller relevanten Umstände nur durch die Betroffenen selbst in ihrem Gewissen geschehen."[4] Demnach ist die Kategorie des Erlaubens oder Verbietens keine angemessene.

Gebet und Segen für Paare in ziviler Zweitehe

Ein wesentliches Ergebnis des zweiten Prozesses, eine sorgsame Geschiedenenpastoral zu betreiben, wurden die „Orientierungen zur seelsorglichen Begleitung von Geschiedenen II". Sie wurden gleich benannt wie jene des Jahres 1986 und als Hinweis dafür, dass sie darauf aufbauen, wurde ihnen die römische Zahl II hinzugefügt. Diese Orientierungen wurden vom Priesterrat am 11. März 1999 als eine Handreichung zur Kenntnis gebracht, die in pastoraler Klugheit anzuwenden ist.
Ausgangssituation war der stärker werdende Wunsch der Paare, anlässlich einer zweiten zivilen Eheschließung öffentlich zu beten und einen „kirchlichen" Segen zugesprochen zu bekommen. Es war zudem die Absicht, Wildwuchs einzudämmen. So beauftragte der Priesterrat der Diözese Linz im März 1997 die Abteilung Ehe und Familie im Pastoralamt, im Hinblick auf liturgische Begleitung am Geschiedenenpastoralkonzept des Jahres 1986 weiterzuarbeiten. Über die Diö-

zesangrenzen hinausblickend, wurde in einer interdiözesanen Arbeitsgruppe eine Zielrichtung entwickelt. Grundanliegen der Arbeitsgruppe war, dem Rechnung zu tragen, was Papst Johannes Paul II. in Familiaris consortio den Seelsorgern ans Herz legt: Einerseits soll die Kirche „den Betroffenen in fürsorgender Liebe beistehen, damit sie sich nicht als von der Kirche getrennt betrachten", andererseits darf durch die liturgische Handlung nicht der „Eindruck einer neuen sakramental gültigen Ehe erweckt werden, damit es nicht zu Irrtümern hinsichtlich der Unauflöslichkeit der gültig geschlossenen Ehe kommt"[5].
Der Ansatz, (nur) zu überlegen, was alles vermieden werden muss, führte in eine Sackgasse. Schließlich wurden in einem Neuansatz die Sicht des Paares auf die Vergangenheit sowie der Blick in die Zukunft das Wichtigste. Zweierlei kennzeichnen die Orientierungen für die Pastoral: erstens die Verpflichtung vom Evangelium her, Menschen in ihrer gebrochenen Situation auf dem Weg zu neuer Hoffnung aktiv zu begleiten; zweitens diese Begleitung so zu gestalten, dass die betroffenen Menschen Mut bekommen, mitsamt ihrer fragmentarischen Geschichte vor Gott zu leben und ihre Sehnsucht nach gelingender Beziehung auf die Basis einer Versöhnung mit der Vergangenheit zu setzen.

Integration der Vergangenheit in einem lebensversöhnlichen Prozess

Es geht also um die Versöhnung mit der Tatsache, dass das Geschehene der gemeinsamen Geschichte nicht ungeschehen gemacht werden kann. Schließlich schuf die erste Ehe einen personalen Bund, der mit der Würde und Kraft der Schöpfung ausgestattet ist. Es muss anerkannt werden, dass die erste sakramentale Ehe bestehen bleibt, weil sie nicht aufgelöst werden kann. Die Unauflöslichkeit in diesem Sinn ist von vielen Paaren anerkannt, auch wenn die Beziehung auseinanderging, es zu einem Lebensbruch und zu einer Scheidung kam, weil die personale Lebensgemeinschaft der Ehegatten nicht mehr besteht. Paare, die für ihre zweite Ehe um Gebet und Segen bitten, anerkennen in der Regel auch, dass Vorpartner im Leben eine große Bedeutung haben, weiterhin Teil der Lebensgeschichte sind und dass daraus hervorgegangene Elternschaften verpflichtend bleiben. Ein wertschätzender Abschied von der früheren und kirchenrechtlich bestehen bleibenden Ehe ist notwendig. Dafür kann Kirche als Versöhnungsgemeinschaft Friedensdienst leisten. In dem Maß, wie die Vergangenheit gelten darf, kann die Gegenwart gedeihen und hat auch die Zukunft eine Chance. Dieser Prozess macht Mut für die Zukunft. Die Klärung der Versöhnung mit der Beziehungsvergangenheit ist Bestandteil vorbereitender Gespräche. Partner, die mit der Vergangenheit versöhnt sind, können in redlicher Weise mit Gebet und Segen begleitet werden. Wenn die beiden Partner ihre Vergangenheit mit allen entstandenen Bindungen und Brüchen, mit Schmerz, Trauer und bestehenden persönlichen Verpflichtungen anerkennen, dann ist anzunehmen, dass sie auf den Segen Gottes vorbereitet sind.

In zweiter Ehe neu beginnen

Vielfach gibt es nach dem Scheitern der ersten, sakramentalen Ehe in einer neuen Bindung wieder Zutrauen und einen festen Ehewillen. Das haben wir als Kirche nicht nur zur

Kenntnis zu nehmen, sondern anzuerkennen. Einzelne Paare bringen ihre zweite staatsrechtlich institutionalisierte Bindung erneut in den Zusammenhang mit Glauben und Kirche, weil sie aus dem Grundwasser der göttlichen Liebe heraus leben wollen. Im Hinblick auf die zweite zivile Ehe, die vielfach nur für einen Partner die zweite ist, ist anzuerkennen, dass sie, obwohl sie kirchenrechtlich ungültig ist, alle wesentlichen Elemente aufweisen kann, die für eine Ehe konstitutiv sind: „den Willen zur lebenslangen Treue, die vorbehaltlose Annahme des Partners, die Bereitschaft zur umfassenden personalen Lebensgemeinschaft und die gemeinsame Verantwortung für Kinder“ (Eberhard Schockenhoff).

Voraussetzungen für öffentliches Gebet und Segen

Wenn also nach dem Zerbrechen einer Ehe in einer neuen Beziehung wieder Zutrauen und ein fester Ehewille gefunden wurden und ein ausdrücklicher Wunsch nach öffentlichem Gebet und einem kirchlichen Segen für den neuen Lebensweg ausgesprochen wird, so dürfen solche Paare mit Recht seelsorgliche und auch liturgische Begleitung erwarten. Diese ist gemäß dem biblischen Seelsorgsauftrag zu gewähren. Dabei orientieren sich Seelsorger an der jesuanischen Wahrheit, also auch an der vergebenden Barmherzigkeit Gottes, wie sie in den Evangelien als Grundhaltung und Grundstimmung dargestellt wird.

Weil es für Katholiken der lateinischen Kirche keine zweite kirchliche Eheschließung gibt, wie dies in orthodoxen und orientalischen Kirchen praktiziert wird, ist darauf zu achten, dass bei einer Gebetsandacht mit Segen für das Paar nicht der Eindruck einer kirchlichen Trauung erweckt wird. Dennoch muss die pastorale Begleitung den Partnern das Gefühl der Beheimatung in der Kirche vermitteln, denn „Freude und Hoffnung, Trauer und Angst der Menschen von heute, besonders der Armen und Bedrängten aller Art, sind auch Freude und Hoffnung, Trauer und Angst der Jünger Christi“ (= Kirche).[6] Es geht bei der Anfrage nach einer Segensfeier um ein Ja mit entsprechender Qualität. Menschen mit leidvollen Erfahrungen, die zu Lebensbrüchen führten, sind sehr empfänglich für gute Worte. Es ist ein pastorales Handeln, das gute Wort, was der Segen Gottes ist, auszusprechen und nicht in der Schwebe zu lassen.[7]

Mit dem Paar ist unter anderem zu klären, ob die zweitheiratende Person mit versöhnter Gelassenheit über ihre bisherige Ehe sprechen kann und wie die Obsorge sowie das Besuchsrecht geregelt sind, wenn es Kinder aus der ersten Ehe gibt.

Wesentlich ist in den als unverzichtbarer Vorspann erforderlichen Gesprächen auch die Klärung, ob die ersttheiratende Person für die vorausgegangene Ehe des Partners bzw. der Partnerin als Teil seiner / ihrer Biografie Respekt aufbringt.

Liturgische Feier mit eigenständigem Profil

Was also ist zu tun, wenn ein Paar die Bitte nach einer kirchlichen Feier äußert? Zunächst ist dieser Wunsch mit dankbarer Freude aufzunehmen. Gottes Segen feiern darf zwar nicht von Bedingungen abhängig gemacht werden, wohl aber verlangt das öffentliche Gebet um den Segen Voraussetzungen. Mit Augenmaß, Behutsamkeit und zugleich Deutlichkeit soll in großzügiger Weise überlegt werden, was unter den gegebenen Umständen und Bedingungen möglich und was

zu berücksichtigen ist. Auf keinen Fall dürfen Willkür und Missbrauch sich breitmachen. Deshalb sollen Abklärungen und Vereinbarungen von Anfang an bzw. im Laufe des Gesprächsprozesses für ein seelsorglich verantwortbares Vorgehen eine Hilfe sein.
Konkret soll eine eigenständige, einfache und menschenfreundliche Feierform gefunden werden, bei der die Wichtigkeit und emotionale Wirkung von Zeichen zu beachten sind. Der übliche Rahmen für eine derartige Segensfeier ist eine Wort-Gottes-Feier. So kann nämlich auf lange Sicht gesehen ein Ritus entwickelt und praktiziert werden, der auch von Pastoral- und PfarrassistentInnen geleitet wird und nicht an den geweihten Priester oder Diakon gebunden ist. Außerdem sollten die Eigenständigkeit und der eigene Wert einer solchen Gebets- und Segensfeier als rituelle Handlung betont werden.[8]
Es muss darüber gesprochen werden, ob beide Partner akzeptieren, dass die bisherige Geschichte in einem Gebetsgottesdienst behutsam und doch eindeutig erwähnt wird. Beide Partner haben dafür Verständnis aufzubringen, dass ein Neuanfang nur gelingen kann, wenn die Versöhnung mit den Brüchen der Vergangenheit geschehen ist.
Mit dem Paar ist zu vereinbaren, dass alles vermieden wird, was eine kirchliche Trauung vortäuscht oder grundsätzlich bzw. ortsüblich einer solchen gleichkommt. Daher gibt es keine Entgegennahme der Konsenserklärung (Ja-Wort), keine Ringsegnung und keinen Ringtausch. Die Form des Einzugs, der Platz des Paares und dergleichen wird anders sein als bei einer kirchlichen Trauung. Die Segnung von Zeichen, z. B. einer Kerze oder eines Kreuzes oder einer Bibel, könnte ein markanter Punkt sein. Der Segnung der Menschen (des Paares) unter dem Aspekt, dass sie in ihrem Miteinander einan-

der zum Segen werden, sollte jedoch der Vorrang gegeben werden. Das feierliche Segensgebet für das Paar setzt also einen besonderen Akzent in einer solchen Feier.
Entscheidend ist, dass der Seelsorger bzw. die Seelsorgerin für sich die Klarheit hat, in welcher Weise er bzw. sie das Paar mit gutem Gewissen seelsorglich und liturgisch begleiten kann. Einer sauberen Vorgangsweise entspricht es, keine Abkürzungen zu gehen. Die Redlichkeit erfordert es, das Paar wissen zu lassen, dass der nötige „Vorspann" für eine derartige öffentliche Gebets- und Segensfeier umfassende Gespräche und damit verbundene Versöhnungsprozesse sind. Es muss klar gesagt werden, dass dieser Weg alle Beteiligten, das Paar und den Seelsorger bzw. die Seelsorgerin, Zeit und Energie kostet. Das müssen die Beteiligten wissen und dem haben sie auch ausdrücklich zuzustimmen, wenn sie sich darauf einlassen wollen. Ich selbst nehme mir jeweils für jedes Paar ausreichend Zeit (4 bis 12 Stunden) zum Gespräch über seine Lebens- und Beziehungsgeschichte(n) und deren Integration, zum Abklären der Motivation, zum Ausformulieren und Treffen von Vereinbarungen und zum Vorbereiten der Gebets- und Segensfeier. Diese Investition lohnt sich, weil nur so die Feier jeweils stimmig werden kann.

Anmerkungen

1 Diözese Linz, Beilage zu den Informationen des Pastoralamtes der Diözese Linz vom April 1986, Pastoral an wiederverheirateten Geschiedenen. Orientierungen für die Seelsorge in der Diözese Linz, Präambel.

2 Familiaris consortio, Nr. 84.

3 Diözese Linz, Orientierungen 1986, II. 4.

4 Eberhard Schockenhoff, Kirche als Versöhnungsgemeinschaft. Für die Zulassung wiederverheirateter Geschiedener zum Kommunionempfang, Manuskript zum Studientag „Chancen zur Versöhnung? Die Kirche und die wiederverheiratet Geschiedenen" am 1. Februar 2012, in St. Virgil (Veranstalter: Katholische Aktion Österreich. Forum Beziehung, Ehe und Familie; St. Virgil, Salzburg; Arbeitsgemeinschaft der österreichischen Pastoral- und Seelsorgeämter).

5 Familiaris consortio, Nr. 85.

6 Gaudium et spes, n. 1

7 Vgl. Franz Harant, In zweiter Ehe neu beginnen. Segensfeier bei Wiederheirat, in: Diakonia 33 (2002) 31–37; ders., Umgang mit Menschen in Beziehungen „außer der Norm", in: Walter Krieger und Balthasar Sieberer (Hg.), Beziehung leben zwischen Ideal und Wirklichkeit, Linz 2010.

8 Vgl. Franz Harant, In zweiter Ehe neu beginnen. Segensfeier bei Wiederheirat, 35.

Impulse
der Tiefenpsychologie

Roswitha Dockendorff

Scheitern aus tiefenpsychologischer Sicht

In der Feier der Osternacht 2012 rief der Bischof von Münster, Felix Genn, den Gläubigen zu: „Ich lade Sie ein, liebe Schwestern und Brüder, aus dem Geschenk der Taufe zu leben, es auszuprobieren, was der Apostel Paulus sagt: ‚Ihr könnt tot sein für alles Böse, weil ihr leben könnt für Gott, da euch in Christus das Leben geschenkt ist.' Ich wünsche Ihnen die Kraft zu diesem Abenteuer. Es ist mehr als ein Experiment. Es wird die Probe des Lebens und des Todes bestehen."

Auch die anderen Sakramente der Kirche, die der Getaufte im Laufe seines Lebens empfängt, wollen zu diesem Gelingen beitragen. Solange der Christ sich im Rahmen des theologisch und kirchenrechtlich Vorgegebenen bewegt, ist dies ein wunderbares Lebensmodell. Auch Schuld und Sünde haben darin ihren Platz und können im Sakrament der Buße vergeben werden. Ein Neuanfang ist möglich.

Im Sakrament der Ehe, das die beiden Liebenden sich durch ihr Ja-Wort gegenseitig spenden, sind sie sich gegenseitig Christus. Christus ist der Dritte im Bunde. Was kann einem im Leben Besseres passieren, als die sakramental verdichtete und treue Zusage Jesu Christi, dass er in beiden gegenwärtig ist und sie auf ihrem Lebensweg begleitet, sie hält und trägt und ihrer Liebe Wachstum schenkt?! Das römisch-katholische Kirchenrecht will durch seine Normen diese endgültige Zusage Gottes im Sakrament der Ehe schützen.

Scheitern

Spielt sich aber das Leben nicht im normativ vorgegebenen Rahmen ab, wird es für den Getauften der römisch-katholischen Kirche schwierig. Zum persönlichen Scheitern in einer Ehe mit all ihren Verwundungen kommt noch der Schmerz hinzu, sich von der eigenen Kirche im Stich gelassen zu fühlen und vom Empfang der anderen Sakramente ausgeschlossen zu werden – außer in „periculo mortis“: In Todesgefahr werden alle kirchenrechtlichen Beschränkungen ausgesetzt.

In meiner Arbeit als Psychotherapeutin bin ich oft mit dem Scheitern von Menschen, auch in ehelichen Beziehungen, konfrontiert. Eigentlich will keiner scheitern. Alle hoffen, dass Lebensträume sich erfüllen. Sie investieren viel Kraft, Zeit und Geld, damit ihre Vorhaben Wirklichkeit werden können. Manchmal tun sie das geradezu verbissen. Alles soll immer noch besser gehen: die Partnerschaft, die Familie, die Erziehung, der Beruf, die Karriere, die Kontakte, das Wohlbefinden, die Gesundheit. Nur kein „Loser“ sein, keine gescheiterte Existenz!

Dennoch macht jeder von uns die Erfahrung, dass auch etwas fehlschlagen kann und wir auf der Verliererseite stehen. Und das bisweilen ziemlich radikal: Oft ist dies mit sehr viel Scham verbunden, die häufig nicht zugegeben, sondern abgewehrt wird. Scheitert die Beziehung, ist dies besonders tragisch. Die Freunde können dem Paar nicht mehr helfen. Die Kinder sind verwirrt, die Eltern ratlos. Kirchenrechtliche Normen sind in solchen Situationen auch keine Stützen.

Scheitern ist schwerwiegender und endgültiger als das bloße Misslingen. Es hat meist die völlige Abkehr vom ursprünglichen Weg und Ziel zur Folge.

Ein anderer Ausdruck für Scheitern ist Schiffbruch erleiden oder – wie die Franzosen sagen – Schiffbruch machen (faire naufrage). Scheitern in der Seefahrt ist ein Schiffsunglück, bei dem das Schiff vom Sturm auf Klippen oder eine felsige Küste geworfen wird und unter den Wellenstößen zerschellt – im Unterschied zum Stranden, bei dem das Schiff weithin unversehrt bleibt. Im Bild des Schiffbruchs werden auch die Folgen des Scheiterns deutlich: Man kann untergehen und sterben oder man überlebt gesund oder mit schweren oder leichten Verletzungen. Auf jeden Fall aber hat man neue Erfahrungen gemacht, die ohne das Scheitern nicht möglich gewesen wären. Diese Erfahrungen können sich auf das weitere Leben und die Gestaltung von Neuem konstruktiv oder destruktiv auswirken.

Aus unbewussten Motiven

Oft scheitert eine Paar-Beziehung, weil im Laufe des Lebens, ausgelöst durch aktuelle Ereignisse, frühe Verwundungen aufbrechen können, die bisher schon existiert haben, aber nicht bewusst geworden sind und sich nicht sichtbar ausgewirkt haben. Die Betroffenen sind dann nicht nur mit den momentanen Schwierigkeiten und den Auseinandersetzungen in ihrer Beziehung konfrontiert, sondern durch die aktuellen Konflikte auch mit ihrer Lebensgeschichte und den bisher nicht wahrgenommenen Verwundungen, was zusätzliche Ängste und Schmerzen auslöst.

Christina ist 37 Jahre alt. Der Ehemann ist nach heftigen Streitigkeiten aus der gemeinsamen Wohnung ausgezogen. Offen ist, wie es mit der Beziehung weitergehen soll. In einer Paar-Therapie haben sie die Besuchsregelung für die Kinder besprochen, für sich als Paar aber keinen Lösungsansatz gefunden. Der Druck wird für Christina immer größer und sie reagiert mit krankheitswertigen Angstzuständen und ausgeprägten Schlafstörungen. Wegen dieser Symptome kommt sie auf Anraten ihres Hausarztes zur Psychotherapie. Christina steht unter großer innerer und äußerer Anspannung und wirkt gequält. Sie macht sich viele Vorwürfe, auch was sie ihren Kindern antue, sagt aber auch immer wieder, sie könne die Aggressivität ihres Ehemannes nicht mehr aushalten. Sehr bald wird deutlich, dass Christina vor einem für sie sehr wichtigen Entwicklungsschritt steht, den sie bisher vermieden hat.

Christina ist in einer katholischen Familie mit liebevoll sorgenden Eltern aufgewachsen. Jedoch ist ihre Mutter sehr ängstlich. Christina ist das fünfte Kind und mit weitem Abstand die Jüngste. Da beide Eltern beruflich sehr engagiert sind, wird sie teilweise auch von der ältesten Schwester mitversorgt und erhält auch später die Unterstützung ihrer anderen Schwestern. So erfährt sie zwar unterschiedliche und vielfältige Beachtung, worauf sie auch später unbewusst ausgerichtet bleibt, aber zu wenig spezifische Beachtung, die es ihr ermöglicht hätte, ein stabiles Selbstvertrauen zu entwickeln. Auch der durch seine berufliche Tätigkeit oft als abwesend erlebte Vater trägt zu dieser Verunsicherung in ihrem Selbstwerterleben bei.

Ihr Studium absolviert Christina heimatnah. Ebenso sucht sie sich ihre erste Stelle dementsprechend aus: Sie braucht immer die Sicherheit der ihr vertrauten Umgebung, ähnlich wie ihre Mutter.

Ihr Freund, den sie bei einer Jugendfreizeit kennenlernt, wird ihre große Liebe. Als sie heiraten – auch kirchlich – und einige Jahre später das erste Kind kommt, scheint das Glück perfekt.

Im Gegensatz zu ihr ist ihr Ehemann eigenwilliger und weniger angepasst, eckt durchaus auch mal bei seinem Arbeitgeber und

auch bei ihren Eltern und Geschwistern an, während Christina immer auf Harmonie Wert legt und darauf, was die Leute denken. Vor allem will sie keinen enttäuschen.
Als sich jedoch der Ehemann nach der Geburt des zweiten Kindes gegen ihre Zustimmung beruflich selbstständig macht und oft weg ist, gerät sie zunehmend in eine Verlassenheitssituation, zu der sie aber emotional keinen tieferen Zugang hat. Sie fühlt sich unwohl, mit den beiden Kindern im Stich gelassen und ist verärgert über ihren Mann. Gelegentlich äußert sie ihm gegenüber diesen Ärger. Dies wird aber von ihm als unbegründeter Vorwurf empfunden, da er ja mit seiner Selbstständigkeit und seiner Arbeit den Lebensunterhalt der Familie sichere. Unbewusst versucht er aber auch, durch die Selbstständigkeit sein Selbstwertgefühl zu stabilisieren. Dieses ist ins Wanken geraten, nachdem seine Frau sich vor allem den Kindern widmet und ihm dadurch die uneingeschränkte Aufmerksamkeit entzieht.
Er hat wenig Einfühlung in ihre Situation und ihre seelischen Bedürfnisse, kann aber auch seine eigenen tieferen Beweggründe nicht wahrnehmen. Christina hat noch zu wenig Eigenstand, um ihre Bedürfnisse deutlich genug zu erkennen und ins Wort zu bringen. Aber auch sie hat zu wenig Einfühlung, so dass sie seine veränderte Seelenlage nicht wahrnehmen kann.
Die Konflikte, die jetzt da sind, werden von beiden zur Seite geschoben. Nachdem der Ehemann seine Mangellage durch die „Selbstständigkeit" zu „lösen" versucht hat, „löst" Christina ihren Mangel auf die ihr bekannte Weise, ohne dass sie sich dessen bewusst wäre: Unbewusst greift sie – entsprechend ihren Erfahrungen aus ihrer Ursprungsfamilie – schnell auf einen neuen „emotionalen Versorger" zurück, der zudem zum „Garant" wird für das Leugnen der konfliktreichen Realität und der anstehenden eigenen Entwicklungsaufgaben. Auf diese Weise bleibt das familiäre Gefüge erst mal äußerlich intakt.

Als der Ehemann jedoch von ihrer kurzzeitigen außerehelichen Beziehung erfährt, mit heftigen Vorwürfen und aggressiven Schuldzuweisungen reagiert und auch nicht in der Lage ist, seine Anteile am partnerschaftlichen Konflikt wahrzunehmen, verstricken sich beide immer mehr in tief verletzende Streitigkeiten, deren Klärung trotz besten Wollens nicht mehr möglich ist.

In der Therapie gelingt es Christina, Einsicht in ihre unbewussten Seiten zu gewinnen. Dadurch fühlt sie sich den Angriffen des Ehemannes nicht mehr völlig ausgeliefert. Es ist jedoch ein langer und schwerer Weg für sie, die eigene Entwicklung in die Hand zu nehmen, nicht mehr möglichst schnell zu versuchen, sich von außen versorgen zu lassen, Spannungen auch einmal selbstständig auszuhalten und weniger die vermeintlichen Erwartungen der anderen erfüllen zu wollen. Auch nimmt das Betrauern des Scheiterns der Ehe einen breiten Raum ein. Besonders schmerzlich empfindet es Christina, wenn sie mit ihren Kindern im Gottesdienst ist und die Erinnerungen an ihre Hochzeit und die gemeinsamen kirchlichen Erlebnisse mit der ganzen Familie wieder ins Bewusstsein kommen.

Abwehr und Schuldzuweisung

Manchmal suchen wir einen Schuldigen für unser Scheitern: die Eltern, den Partner, den Chef, die böse Welt. Wir brauchen einen Schuldigen, um unser eigenes Ich schuldlos zu halten. Solange ein anderer schuldig ist, ist unser Selbstwertgefühl noch nicht gefährdet. Unsere ganze Ohnmacht, Wut und Enttäuschung, die wir beim Scheitern erleben und erleiden, werden dann nach außen verlagert. Das zeigt, wie schmerzhaft Scheitern für uns ist, wie sehr unsere Identität darunter leidet. Je wichtiger ein Ziel ist, das wir erreichen wollten, und je mehr Kräfte wir dafür eingesetzt haben, umso schwieriger wird es für uns, wenn wir das Ziel nicht erreichen und gescheitert sind.

Christopher, ein in seiner Gemeinde aktiver Christ, hat nach dem Studium der Betriebswirtschaft seine Jugendliebe Sabrina, ebenfalls Betriebswirtin, geheiratet. Sie wollen bewusst eine christliche Ehe führen und miteinander alt werden. Paaren, die sich getrennt haben, stehen sie skeptisch und kritisch gegenüber. Durch Anstrengung, gemeinsame Werte und Gebet sei doch alles erreichbar.
Christopher engagiert sich immer mehr in seinem Betrieb und macht Karriere. Zum Ausgleich für seine beruflichen Belastungen intensiviert er seine Hobbys. Er nimmt gar nicht wahr, dass er sich dadurch äußerlich und innerlich von seiner Frau und den vier Kindern entfernt. Sabrina fühlt sich alleine gelassen wie in ihrer frühen Kindheit, entwickelt psychosomatische Beschwerden und sucht psychotherapeutische Hilfe.
Die Beziehungskonflikte zwischen Christopher und Sabrina werden immer deutlicher. Ihr Ideal, eine dauerhafte christliche Ehe zu führen und eine harmonische Familie zu sein, droht zu scheitern.
Christopher ist nicht fähig, seine eigenen Anteile an den Konflikten zu erkennen. Stattdessen versucht er, durch vermehrten Alkoholkonsum schmerzliche Gefühle nicht spüren zu müssen. Außerdem entlastet er sich dadurch, dass er Sabrina und ihrer Psychotherapie die Schuld zuweist: „Die Psychotherapie hat schwere Schuld auf sich geladen und uns auseinandergebracht." Auch noch als Sabrina auf einer räumlichen Trennung besteht, weil sie seine Vorwürfe nicht mehr aushält und die Kinder nur noch in einer Hab-Acht-Stellung vor dem Vater leben, bleibt er

bei seiner Wahrnehmung und Schuldzuweisung. Sie lautet nun: „Du hast mich aus dem Haus getrieben."

Die Schweizer Psychoanalytikerin Verena Kast schreibt: „Wenn wir nicht einfach einen Schuldigen suchen für unser Scheitern, dann wird Scheitern viel schmerzhafter; wir müssen dann die Zerrissenheit akzeptieren, die Erschütterung zulassen, umdenken und umfühlen. Umdenken, umfühlen, das hieße: die Niederlage sich eingestehen, die Trauer darüber zulassen, sich eingestehen, dass man nun nicht mehr weiter weiß, dass der Weg des Wollens ausgeschritten ist, dass man auf einen Einfall angewiesen ist und auf die Kraft, wieder neu anzufangen. Da liegt bestimmt auch eine Chance des Scheiterns: dass wir dadurch, indem wir einsehen, dass wir mit allen unseren Anstrengungen nicht eine Lösung herbeiführen können, offen werden für etwas ganz anderes, das über uns hereinbricht. Nennen wir das einen Einbruch von Transzendenz, einen schöpferischen Einfall."

Scheitern und seine Chancen

Scheitern ist menschlich. Denn Grenzen, Brüche, Niederlagen sind ein Teil unserer menschlichen Wirklichkeit wie Glück, Gelingen, Kontinuität und Erfolg. Ob wir im Scheitern eine Chance entdecken können, hängt wesentlich von unserer inneren Einstellung ab, der Möglichkeit, uns selber besser wahrzunehmen, offen zu werden für die Hilfe von anderen, aber auch offen für deren Nöte, und offen zu werden für den, der uns übersteigt. In gewissen Zeiten haben wir alle das „Öl der Barmherzigkeit" notwendig, wie Hildegard von Bingen sagt.

Die religiöse Gesinnung und Praxis können vielen Paaren nicht helfen, ihre Beziehungsprobleme zu lösen, weil diese meist auf einer ganz anderen Ebene als der religiösen liegen: Die Partner haben häufig tiefgreifende innerseelische Konflikte, die unter anderem aus ihren unbewussten Schichten der Seele kommen. Weil auch das Ehe-Sakrament die natürlichen Voraussetzungen und emotionalen Vorerfahrungen der Partner nicht außer Kraft setzt, sondern darauf aufbaut, kann auch dieses Sakrament die vorliegenden Defizite nicht ausgleichen. Auch durch Willensanstrengung und Selbstdisziplin lässt sich das Unbewusste nicht steuern. Ist es aber ins Bewusstsein getreten, dann müssen wir es in unsere Verantwortung nehmen und in unser Leben zu integrieren versuchen, was sehr viel Kraft kostet und oft schwierig und anstrengend ist.

Das Kirchenrecht der römisch-katholischen Kirche fragt bisher nicht nach den emotionalen Prägungen und möglichen seelischen Verwundungen, die die Partner in die Ehe mitbringen, und nimmt so einen großen Teil der innerseelischen Realitäten, die zum Scheitern einer Ehe beitragen können, nicht wahr. Aber es nimmt sich das Recht, nach dem Scheitern der ersten sakramentalen Ehe eine zweite Ehe zu verbieten. Wenn sie dennoch eingegangen wird, untersagt es den Empfang der Sakramente.

Dabei ist das Scheitern auch eine Chance, mehr mit sich selbst, den eigenen unbewussten Anteilen und seinen Verwundungen in Kontakt zu kommen, sich dadurch weiterzuentwickeln, mehr Sensibilität für sich und die anderen zu bekommen und in der eigenen Persönlichkeit zu reifen. In diesem Reifungsprozess zu größerer Lebensfülle liegt auch die Möglichkeit, näher zu Gott zu finden. Joseph Kentenich, der Gründer der Schönstatt-Bewegung, sagt: „Unsere natürlichen Bruchstellen sind die Einbruchsstellen Gottes."

Die tiefenpsychologischen Erkenntnisse wollen helfen, den Menschen in seinem Bewussten und Unbewussten zu verstehen und ihn nicht zu be- oder zu verurteilen. Dieses empathische Verstehen bildet die Grundlage für Heilung und Wachstum zur reifen Persönlichkeit. Nimmt man die psychologischen Erkenntnisse zu wenig oder gar nicht ernst, wird man dem Menschen in seiner Ganzheit nicht genügend gerecht oder man tut ihm sogar Unrecht. So ist ein angemessenerer Umgang mit wiederverheirateten Geschiedenen nicht nur eine Frage der Barmherzigkeit, sondern der Gerechtigkeit: Es geht um einen adäquateren Umgang mit der Schöpfungswirklichkeit Mensch, bei dem auch die neueren Erkenntnisse seiner bio-psycho-sozialen Dimensionen theologisch ernst genommen werden und sich dogmatisch, pastoral und kirchenrechtlich auswirken.

Positionen
der Theologie

Gerd Häfner

Ehescheidung und Wiederheirat – Neutestamentliche Aspekte

1. „Ehescheidung" in der Jesus-Tradition – Befund und Rekonstruktion

Das Thema „Ehescheidung" erscheint in den Evangelien in zwei Zusammenhängen. Zum einen ist ein Streitgespräch überliefert, in dem Jesus gegen die Ausstellung des Scheidebriefs argumentiert (Mk 10,2–9 par Mt 19,2–8), zum andern gibt es ein Jesuswort, das in verschiedenen Fassungen Ehescheidung und Wiederheirat auf unterschiedliche Weise mit Ehebruch in Verbindung bringt (Mk 10,11 f par Mt 19,9; Lk 16,18 par Mt 5,32). Das Streitgespräch wird häufig auf die urchristliche Überlieferung zurückgeführt.[1] Auch wenn dies nicht für den Kern der Überlieferung gelten muss,[2] empfiehlt die Diskussionslage, bei der Suche nach der Haltung Jesu an dem genannten Wort über die Ehescheidung anzusetzen. Angesichts der Unterschiede in den verschiedenen Versionen ist dabei zunächst zu fragen, ob sich eine ursprüngliche Gestalt des Jesuswortes rekonstruieren lässt.

Mt 5,32
Jeder, der seine Frau entlässt,
ausgenommen im Fall von Unzucht,
macht, dass sie zum Ehebruch verleitet wird.
Und wer eine Entlassene heiratet,
begeht Ehebruch.

Lk 16,18
Jeder, der seine Frau entlässt
und eine andere heiratet,
begeht Ehebruch;
und wer eine vom Mann Entlassene heiratet,
begeht Ehebruch.

Mk 10,11f
(11) Wer seine Frau entlässt
und eine andere heiratet,
begeht Ehebruch gegen sie.
(12) Und wenn sie selbst ihren Mann entlässt
und einen anderen heiratet,
begeht sie Ehebruch.

Relativ eindeutig ist die markinische Fassung des Spruches als nachträgliche Bearbeitung erkennbar. Sie allein geht von der Möglichkeit aus, dass auch die Frau den Mann entlassen kann. Das ist nach jüdischer Rechtslage nur in Ausnahmefällen möglich.[3] Es dürfte sich bei Mk 10,12 also um eine sekundäre Angleichung an die rechtlichen Verhältnisse handeln, die die urchristlichen Gemeinden außerhalb Palästinas vorfanden, aber nicht um einen Ausspruch Jesu. Mk 10,11 stimmt (bis auf „gegen sie") mit der ersten Hälfte des Spruches bei Lukas überein (Lk 16,18a). Die Diskussion um die ursprüngliche Fassung lässt sich demnach beschränken auf einen Vergleich zwischen Mt 5,32 und Lk 16,18.
Beide Verse bieten im zweiten Teil denselben Wortlaut: „Wer eine (Lukas: vom Mann) Entlassene heiratet, begeht Ehebruch." Da diese Übereinstimmung gegen Markus gegeben ist, stammt das Wort wahrscheinlich aus der gemeinsamen

Quelle, die Matthäus und Lukas über Markus hinaus benutzt haben (die sogenannte Logienquelle Q). Die nächste Frage muss sich dann auf den ersten Teil des Wortes richten: Hat Lukas seine Fassung aus der Markus-Parallele geschöpft, also gegen seine zweite Quelle (Q) geändert? Oder bot diese Quelle denselben Wortlaut wie Mk 10,11, so dass Matthäus seine Vorlage an dieser Stelle gänzlich umgestaltet hätte? Dass Matthäus in 5,32a eingegriffen hat, wird allgemein angenommen: die sogenannte Unzuchtsklausel („ausgenommen im Fall von Unzucht") findet sich nur in seinem Evangelium, hier aber durchgängig (s. 19,9). Es handelt sich deshalb nach fast einhelliger Meinung um eine Ausnahmeregel, die in der matthäischen Gemeinde angewendet wurde und deshalb ihren Weg in das Matthäus-Evangelium fand. Damit ist aber unsere Frage nach der ursprünglichen Gestalt noch nicht beantwortet. Mt 5,32a und Lk 16,18a unterscheiden sich in einem Punkt wesentlich: Matthäus geht in Übereinstimmung mit der jüdischen Tradition davon aus, dass der Mann seine eigene Ehe nicht brechen kann; er kann nur (dies allerdings gegen Dtn 24,1–4) durch die Entlassung der Frau den *Anlass* zum Ehebruch geben, der dann geschieht, wenn die entlassene Frau geheiratet wird. Dagegen spricht Lukas davon, dass der Mann durch die Entlassung der ersten Frau und die erneute Heirat die *eigene* Ehe bricht. Hat der Judenchrist Matthäus „rejudaisiert", also ein gegen jüdische Überzeugungen stehendes Jesus-Wort wenigstens teilweise wieder in Einklang gebracht mit der jüdischen Tradition? Oder stellt die lukanische Fassung eine Weiterentwicklung dar, die ein Jesus-Wort an nicht-jüdische Verhältnisse angepasst hat, in denen die rechtliche Stellung von Mann und Frau in der Ehe nicht so fundamental unterschiedlich gesehen wurde?

In der exegetischen Literatur findet sich keine einhellige Antwort auf diese Frage. M. E. spricht mehr dafür, dass Matthäus das Jesus-Wort genauer bewahrt hat. In seiner Fassung ergibt sich eine ausgezeichnete innere Verbindung beider Spruchhälften. Der Gedanke, dass die Frau durch die Entlassung aus der Ehe zum Ehebruch verleitet wird, wird im zweiten Versteil fortgeführt: Der Ehebruch, in den die Frau durch die Verantwortung des ersten Mannes getrieben wird (5,32a), geschieht durch die erneute Heirat (5,32b), weil die erste Ehe durch die Entlassung eigentlich nicht aufgelöst ist. Demgegenüber besteht in Lk 16,18 ein wesentlich schlechterer innerer Zusammenhang, der nicht auf eine ursprüngliche Zusammengehörigkeit der beiden Sätze schließen lässt. Der erste spricht vom Brechen der eigenen Ehe, der zweite vom Brechen der Ehe eines anderen. Dabei setzt die zweite Spruchhälfte eine *Neubewertung* der jüdischen Scheidungspraxis voraus, da anders als in Dtn 24,1–4 davon ausgegangen wird, dass die Frau durch die Entlassung nicht frei ist zu erneuter Eheschließung. Die erste Spruchhälfte ist dagegen völlig jenseits des jüdischen Ehe- und Scheidungsrechts angesiedelt: Dass der Mann seine eigene Ehe brechen kann (Lk 16,18a), ist dort nicht vorgesehen. Neben der besseren Kohärenz der beiden Spruchhälften spricht für die Ursprünglichkeit der matthäischen Fassung, dass Matthäus im Rahmen des Streitgesprächs um die Ehescheidung der Vorlage bei Markus im Wesentlichen gefolgt ist (vgl. Mt 19,9; Mk 10,11). Deshalb dürfte er die abweichende Formulierung in 5,32 nicht selbst gebildet, sondern aus seiner zweiten Quelle übernommen haben.

Jesu Wort zur Ehescheidung hatte also ursprünglich wahrscheinlich folgende Form:

„Jeder, der seine Frau entlässt, macht, dass sie zum Ehebruch verleitet wird. Und wer eine Entlassene heiratet, begeht Ehebruch."

2. Zur Deutung des Ehescheidungswortes

Formal gesehen erscheint das Wort Jesu zur Ehescheidung zunächst als Rechtssatz: Ein bestimmtes Verhalten („Jeder, der das und das tut ...") wird mit einer bestimmten Strafe belegt. Das zweite Element, die Nennung der Strafe, fehlt allerdings in Mt 5,32. An seine Stelle tritt ein „ethisches Urteil"[4]: Wer seine Frau entlässt, veranlasst ihren Ehebruch; wer eine Entlassene heiratet, begeht Ehebruch. Die Entlassung der Ehefrau wird anders bewertet als im Gesetz des Mose: Sie ist Anstiftung zum Ehebruch.

Das bedeutet: Eigentlich angesprochen wird hier der verheiratete Mann. Ihm werden die Konsequenzen klargemacht, die dem Urteil Jesu zufolge die Entlassung seiner Frau nach sich zieht: Sie wird zum Ehebruch verleitet; ein anderer Mann, der sie heiratet, wird zum Ehebrecher. Der Mann, der seine Frau entlassen hat, bricht nicht die Ehe; er ist aber verantwortlich dafür, dass Ehebruch geschieht. Adressat der Aussage ist damit derjenige in dem „Beziehungsgeflecht" von Mt 5,32, der nach der Rechtsordnung der Tora gar nicht belangt werden kann. Er tut etwas, wodurch andere zur Gesetzesübertretung verleitet werden, nämlich zum Ehebruch. Nur dies wird betont; das Verhalten des Mannes, der seine Frau entlässt, wird nicht selbst Gegenstand einer rechtlich fassbaren Beurteilung. Umgekehrt gilt: Diejenigen, deren Tun rechtlich relevant wäre (die entlassene Frau und der sie heiratende Mann, die Ehebruch begehen), sind gar nicht unmittelbar angesprochen. Es geht nicht darum, ihr Verhalten anzuprangern und sie als Ehebrecher bloßzustellen, sondern es sollen allein dem entlassenden Mann die Folgen seiner Tat und die Verantwortung für den Ehebruch der anderen aufgezeigt werden. Diese Tat wird strikt abgelehnt, weil die Ehe anders beurteilt wird. Sinn ergibt der Ausspruch nur dann, wenn vorausgesetzt ist, dass die Entlassung der Frau die Ehe nicht aufhebt. Der Mann hat in der Sicht Jesu, anders als es Dtn 24,1–4 voraussetzt, über das Bestehen seiner Ehe kein Verfügungsrecht.

Jesus verwirft also die Ehescheidung, sagt dies aber in der Form eines Rechtssatzes, der letztlich keine rechtlich fassbare Bestimmung enthält. Das Wort Jesu zur Ehescheidung ist deshalb überfordert, wenn man es im Sinne einer rechtlichen Regelung versteht, die unabdingbar und unter Absehung der näheren Umstände auf alle Ehen anzuwenden ist. Diese Einschätzung schwächt die Verbindlichkeit der Mahnung zu lebenslanger Treue nicht ab. Wenn hier der Gegensatz zwischen Paränese (= Mahnung zu einem bestimmten Verhalten) und Rechtssatz herausgestellt wird, dann nicht, um auszudrücken, Jesus habe die Mahnung nicht ernst gemeint. Es ist damit nur gesagt, dass Jesus keine Regelung vorlegt, die die Gemeinschaft seiner Nachfolgerinnen und Nachfolger in allen denkbaren Fällen rechtlich verpflichten wollte.

Jesus fordert mit seinem Wort zur Ehescheidung angesichts herrschender Ansichten über die Möglichkeit, die Ehefrau zu entlassen, ein gegensätzliches Verhalten. Damit provoziert er seine Hörer und will sie zu einer Änderung ihrer Einstellung bewegen. Die Provokation spitzt zu und verschärft, sie kümmert sich nicht um Ausgewogenheit und Differenzierung. So bedenkt das Jesuswort gar nicht die Schutzfunktion des Scheidebriefs für die Frau. Müssten Frauen, die aus der Ehe entlassen werden, im Sinne Jesu trotz der damit einhergehenden wirtschaftlichen und rechtlichen Unsicherheit unverheiratet bleiben, damit kein Ehebruch geschieht? Allgemeiner, ohne Bezug auf die damalige Rechtslage, gefragt: Ist ein Ehepartner, der vom andern verlassen wird, zum Alleinsein verurteilt, weil Wiederheirat in jedem Fall Ehebruch ist? Solche Fragen sind nicht im Horizont des Wortes Jesu, und deshalb kann man auch nicht alle denkbaren Fälle von diesem Wort als einem zeitlos und situationsunabhängigen Gesetz beurteilen. Nicht die Verbindlichkeit der Weisung Jesu steht zur Debatte, sondern ihre prinzipielle Anwendbarkeit als Rechtssatz ohne Berücksichtigung der besonderen Situation.

3. Die Frage nach dem Grund für Jesu Ablehnung der Ehescheidung

a) Wie kommt Jesus zu seiner strengen Auffassung von der Ehescheidung? Da Mt 5,32 den verheirateten Mann anspricht und ihm das Recht auf Entlassung seiner Frau bestreitet, wird vielfach vorgeschlagen: Jesus will, entsprechend seiner besonderen Zuwendung zu den rechtlich gering geachteten Frauen, die männliche Vorherrschaft in der Ehe brechen; die Frau soll aus ihrem Status als Besitzobjekt des Mannes befreit und zur gleichberechtigten Partnerin des Mannes werden. Diese sympathische Erklärung hat leider den Nachteil, dass sie sich kaum am Text erweisen lässt: Ein Interesse an der Lage der Frau wird nicht erkennbar. Im Vordergrund steht nicht deren Benachteiligung, sondern das nicht aufhebbare Bestehen einer Ehe. Sicher, dem Mann wird die Möglichkeit bestritten, seine Frau zu entlassen; sie gehört faktisch nicht mehr zum Besitz des Mannes, den er behalten oder abgeben könnte, wie es ihm beliebt. Dass aber dadurch die Stellung der Frau verbessert werden soll, ist nicht gesagt. Allein die Konsequenz der Scheidung für eine erneute Eheschließung wird bedacht: Sie führt zum Ehebruch (im Blick auf die erste Ehe).

b) Man kann versuchen, die dargelegte Sicht von Ehe und Ehescheidung in Jesu Gottesreich-Botschaft einzuordnen. Direkte Anhaltspunkte in der Überlieferung gibt es nicht, da der Zusammenhang an keiner Stelle direkt ausgesprochen ist. Wir müssen also nach *sachlichen Verbindungslinien* suchen. Man könnte ansetzen am Grundzug der Gottesreich-Botschaft: Gott will Israel endzeitlich sammeln und nimmt die Menschen gerade als Sünder mit seiner zuvorkommenden Liebe an. Die Annahme dieser Vergebung muss freilich zur Konsequenz führen, auch den Nächsten anzunehmen. Was allgemein aus dem Anbruch des Gottesreiches für das Verhältnis der Menschen zueinander folgt, das gilt im Besonderen für das Verhältnis von Mann und Frau in der Ehe: Die gegenseitige Beziehung soll nicht abgebrochen werden, sie soll sich vielmehr bestimmen lassen von der bedingungslosen Annahme, die Gott im Verhältnis zu den Menschen verwirklicht; Verfehlungen sollen nicht angerechnet werden, sondern gegenseitiges Vergeben gelebt werden.[5] Die gesetzliche Regelung des Scheidebriefes steht diesem Anspruch entgegen. Sie eröffnet die Möglichkeit, den in der Verkündigung Jesu offenbarten Willen Gottes zu umgehen und sich dabei durch die Berufung auf das Gesetz doch den Anschein der Erfüllung dieses Willens zu geben.

c) Der skizzierte Versuch, Jesu Ablehnung der Ehescheidung aus seiner endzeitlichen Gottesreich-Botschaft abzuleiten, kann sich, wie bemerkt, nicht auf unmittelbare textliche Evidenz stützen. Eine Begründung findet sich in der Jesus-Tradition allein im Streitgespräch mit den Pharisäern (Mk 10,2–9par). Der Abschnitt trägt sicher Spuren urchristlicher Überlieferung,[6] dennoch dürfte der Kernbestand ins Wirken Jesu zurückreichen. Jesus kann kaum darauf verzichtet haben, seine Ablehnung des Scheidebriefs zu begründen. Außerdem hat der Begründungsweg im Streitgespräch eine Parallele in der Art und Weise, wie Jesus seine Sabbatpraxis rechtfertigt. Er bezieht sich auf den ursprünglichen Schöpferwillen, um den Sinn des Sabbats als Einrichtung zum Wohl des Menschen zu kennzeichnen: „Der Sabbat ist um des Menschen willen gemacht, nicht der Mensch um des Sabbats willen" (Mk 2,27). Wird der Wille des Schöpfers hier als *Auslegungsmaßstab* für das Sabbatgebot herangezogen, so im Fall der Ehescheidung als *Korrektiv* für eine Bestimmung der Mose-Tora, die als Zugeständnis „um eurer Herzenshärtigkeit willen" erscheint (Mk 10,5). „Von Anfang der Schöpfung" aber, mit der Erschaffung des Menschen als Mann und Frau (Gen 1,27), war es anders. Die Aussage aus Gen 2,24, Mann und Frau würden in der sexuellen Verbindung *ein* Fleisch, wird zum Argument gegen die Ehescheidung: Die Entlassung der Frau durch den Mann hebt auf, was in der Erschaffung des Menschen begründet ist.

Mit dieser Begründung wird einerseits die Unauflöslichkeit der Ehe betont, andererseits keine rechtliche Regelung geschaffen, die eine Trennung von Eheleuten für jeden Einzelfall ausschließen wollte. Greift man die Analogie zur Begründung des Sabbat-Gebotes auf, so lässt sich die Stiftung der Ehe im Schöpferwillen als eine Einrichtung zum Wohl des Menschen verstehen,[7] von dem her konkrete Einzelfälle zu beurteilen sind. Im Grundsatz bestätigt sich, was sich zur Intention des Ehescheidungslogions ergeben hat: Das eindeutige Eintreten gegen die Ehescheidung ergeht nicht im Horizont eines rechtlich fassbaren unbedingten Neins. Auch das kanonische Eherecht liegt auf dieser Linie, da es eine absolute Unauflöslichkeit der Ehe nur für die sakramentale und vollzogene Ehe kennt[8] – eine Einschränkung, die sich mit der jesuanischen Begründung des Ehescheidungsverbots nur dann verbinden lässt, wenn dieses nicht als absolut verpflichtend verstanden wird. Der Bezug auf die Schöpfungsordnung eröffnet in sich ja nicht die Möglichkeit, im Blick auf verschiedene Formen der Ehe die Unauflöslichkeit der Ehe differenziert zu beurteilen. Die urkirchliche Entwicklung bezeugt ebenfalls ein Verständnis der Weisung Jesu, die diese als Verbot der Ehescheidung ernst nimmt, aber nicht als unabänderliches, situationsunabhängiges Gesetz versteht.

4. Fortschreibungen des Ehescheidungswortes im Neuen Testament

a) Das besprochene Wort Jesu ist zwar, wie gesehen, nicht als Verbot der Ehescheidung formuliert, seiner Intention nach kann es aber kaum anders aufgefasst werden. Dem verheirateten Mann werden die Folgen der Entlassung seiner Frau vorgehalten, um die Scheidung auszuschließen. In diesem Sinn haben es auch die ersten Christen verstanden. Paulus führt in 1 Kor 7,10 f ein Herrenwort an, nach dem eine Frau sich nicht von ihrem Mann trennen und ein Mann seine Frau nicht entlassen soll. Hier ist also deutlich ein Verbot ausgesprochen. Näher an der jesuanischen Formulierung ist Mk 10,11 f, da hier die Folge von Entlassung und Wiederheirat ausgesagt ist: der Ehebruch. Hier wird eine Regel im Sinne des Ausschlusses der dargestellten Verhaltensweise vorgelegt.

Dies ergibt sich aus der Tatsache, dass nun im hellenistischen Milieu (wie bei Paulus) ein Fall besonders bedacht wird, der sich in jüdischem Kontext nicht ergeben kann: die Entlassung des Mannes durch die Frau. Wenn das Wort Jesu auch auf diesen Fall ausgeweitet wird, muss man es verstanden haben als verbindliche Weisung für die Praxis der Glaubenden: als prinzipiell gültiges Verbot der Ehescheidung. Zugleich zeigt sich der kreative Umgang mit dem Jesus-Wort; es wird auch auf Fälle ausgeweitet, die außerhalb seines Horizonts lagen. Nun ist diese Aktualisierung in dem Sinne unproblematisch, als sie die gegebene Intention ausweitet. Gibt es auch andere Beispiele im Neuen Testament, in denen das Verbot der Ehescheidung relativiert wird?

b) Betrachten wir zunächst Mt 19,9: „Wer seine Frau entlässt, außer bei Unzucht, und eine andere heiratet, begeht Ehebruch." Hier ist eine Klausel eingefügt, eine Ausnahme, die das eigentlich Gültige außer Kraft setzt. Ihr genaues Verständnis ist umstritten. Soll die Klausel („außer bei Unzucht"[9]) nur eine erlaubte Form der Entlassung kennzeichnen[10] oder wird dadurch auch die Wiederheirat anders beurteilt, nämlich nicht als Ehebruch? Mehr spricht für die zweite Auffassung. Der Spruch wertet nicht die Entlassung isoliert, sondern in Verbindung mit der Wiederheirat. Dies ergibt sich aus der Satzstruktur: Erst mit der Aussage vom Ehebruch ist das Prädikat des Hauptsatzes erreicht. Wenn in die Umschreibung des Subjekts, für das diese Aussage gilt („wer seine Frau entlässt und eine andere heiratet"), eine Ausnahme aufgenommen ist („außer bei Unzucht"), dann wirkt sich die Ausnahme auf das Prädikat („begeht Ehebruch") aus. Gälte es auch für den Ausnahmefall, wäre die Formulierung der Ausnahme sinnlos. Es geht also nicht darum, eine unerlaubte von

einer erlaubten oder gebotenen Entlassung der Ehefrau zu unterscheiden, um dann unabhängig davon eine Wiederheirat in jedem Fall als Ehebruch zu kennzeichnen. Die Klausel qualifiziert vielmehr den beschriebenen Vorgang als Ganzen. Wird die Frau wegen Ehebruchs entlassen, ist eine Wiederheirat des Mannes kein Ehebruch.
Aus der Einfügung der Klausel folgt zweierlei: (1) Die Weisung Jesu wurde wirklich als gültige Regel verstanden. Wer sich mit Ausnahmefällen befasst, versteht das Verhandelte als bindenden Grundsatz. (2) Diese Regel wurde nicht als für alle Fälle gültiges Gesetz verstanden. In der Unzuchtsklausel zeigt sich der judenchristliche Hintergrund der matthäischen Gemeinde. In jüdischer Sicht ist die Ehe durch Ehebruch faktisch zerstört;[11] die Rabbinen kennen deshalb sogar die Pflicht zur Entlassung einer ehebrecherischen Frau.[12] Wenn in Mt 19,9 (wie in 5,32) der Ehebruch ausdrücklich als Ausnahmefall gewertet wird, ist damit der besondere Verstehenshorizont der matthäischen Gemeinde berücksichtigt. Damit zeigt sich hier „das pastorale Bemühen, Jesu radikales Wort zur Ehescheidung den konkreten Umständen einer Gemeinde anzupassen"[13]. Diese Feststellung gilt trotz der Tatsache, dass es sich mit der Unzuchtsklausel kaum um eine Liberalisierung handelt; die Gemeinde hat sie wohl „als Gebot Gottes, das die Ehe vor Unreinheit schützte, empfunden"[14]. Dennoch dokumentiert dieser Umgang mit dem Jesus-Wort, dass die Übereinstimmung mit dem Willen Gottes nicht erkannt wurde im starren Festhalten am Wortlaut des überlieferten Spruches Jesu.

c) Dafür kann als weiterer Zeuge *Paulus* benannt werden. Er hat in seinen Gemeinden mit Konstellationen zu tun, die in der Jesus-Überlieferung noch nicht bedacht werden konnten:

die Ehen von Glaubenden mit Nichtglaubenden (Heiden). Deutlich sagt Paulus, dass er für diese Fälle kein Herrenwort hat, sondern eigene Weisung gibt (1 Kor 7,12). Prinzipiell hält Paulus an der ehelichen Gemeinschaft fest. Wenn der ungläubige Teil sich nicht trennen will vom gläubigen, soll keine Entlassung stattfinden (1 Kor 7,12–14). Will sich aber der ungläubige Partner oder die ungläubige Partnerin trennen, so besteht für die Glaubenden keine Pflicht zur Aufrechterhaltung der Ehe (1 Kor 7,15 f). Das bedeutet: Paulus kennt zwar das Verbot Jesu, Ehen zu scheiden; das hindert ihn aber nicht, in bestimmten Fällen eine andere Weisung zu geben.

d) Auf eine Passage aus den Paulusbriefen, die eigentlich mit der Frage von Scheidung und Wiederheirat nichts zu tun hat, sei aus aktuellem Anlass wenigstens kurz eingegangen. Da die Diskussion um den Umgang der Kirche mit wiederverheirateten Geschiedenen auf die Frage des Kommunionempfangs fokussiert ist, taucht bisweilen 1 Kor 11,27–29 in der Debatte auf.[15] Dass Paulus am Beginn des Abschnitts zur Herrenmahlfeier von Spaltungen in der korinthischen Gemeinde spricht, berechtigt aber nicht dazu, die Ehescheidung in den Horizont der Ausführungen einzubeziehen. Paulus hat eine konkrete Situation vor Augen. Deren genaue Rekonstruktion ist zwar umstritten[16]; dass die Ehescheidung nicht zu den Problemen gehört, die Paulus hier im Blick hat, ist dagegen eindeutig. Die Rede von Spaltungen und Parteiungen gibt dafür keinen textlichen Anhaltspunkt.
Wenn es heißt, dass derjenige sich schuldig macht am Leib und Blut des Herrn, der das Brot und den Becher unwürdig isst und trinkt (1 Kor 11,27), ist damit nicht der Zustand gemeint, in dem sich die Mahlteilnehmer befinden. „Unwürdig“ ist hier ein Adverb, es geht also um die Art und Weise,

wie das Mahl eingenommen wird, nicht darum, dass man es *als Unwürdiger* (als Sünder) einnehmen könnte. Und das Wie soll dadurch bestimmt sein, dass der Gemeinschaftscharakter des Mahles nicht verletzt wird (11,21 f).

Was Paulus nicht meint mit dem unwürdigen Empfang, ist die mangelnde Unterscheidung von sakramentalem Leib Christi und gewöhnlichem Brot.[17] Es ist offensichtlich nicht das Problem in Korinth gewesen, dass man diese Differenzierung nicht ernst genommen hätte. Wenn es in V. 29 heißt, es esse und trinke sich derjenige das Gericht, der den Leib nicht richtig beurteile, so steht „Leib“ nicht zufällig absolut, ohne einen Zusatz wie „Christi“ oder „des Herrn“. Hier dürfte die Vorstellung von der *Gemeinde als Leib* eingeschlossen sein, und in ihr dominiert der Gedanke der Einheit, der in der korinthischen Herrenmahlpraxis nicht verwirklicht ist. Die Kritisierten beurteilen nicht richtig, was in der Feier des Herrenmahls geschieht: Teilhabe am eucharistischen Leib Christi, wodurch auch die Gemeinde als Leib Christi auferbaut wird (s.a. 10,16f). Dies aber erfordert ein Verhalten, das diesem auf Gemeinschaft und Einheit zielenden Geschehen entspricht. Vor diesem Hintergrund kommt der dunkle Gerichtsgedanke in 1 Kor 11,27–32 zum Tragen. Die Sorge, ein „Ehegatte, der in einer ehebrecherischen Situation verbleibt“, verurteile sich durch die Teilhabe am eucharistischen Leib Christi „als des ewigen Lebens unwürdig“,[18] hat Paulus nicht umgetrieben.

5. Fazit

Der biblische Befund ist nicht so eindeutig wie häufig angenommen. Jesus gibt zweifellos eine verbindliche Mahnung, die die Ehescheidung ausschließen will. Er tut dies aber in einer Aussage, die einseitig an die Adresse des Mannes gerichtet ist und ihm klarmachen will, dass er keine Verfügungsgewalt hat über seine Ehe. Jesus formuliert nicht einen Rechtssatz, der in jeder Situation anzuwenden wäre; er provoziert vielmehr den jüdischen (Ehe-)Mann, die Gemeinschaft mit seiner Frau nicht eigenmächtig aufzugeben, sondern in einer Art zu verwirklichen, die dem endgültig zugunsten der Menschen handelnden Gott wie auch der Erschaffung des Menschen als Mann und Frau entspricht. Die ersten Gemeinden haben diese Mahnung Jesu sehr ernst genommen und als gültige Regel verstanden: Ehescheidung soll es unter Glaubenden nicht geben. Es wurde daraus aber nicht gefolgert, dass es in bestimmten Situationen nicht Ausnahmen von dieser Regel geben könne.

Vom Neuen Testament her ist also nichts gegen ein Vorgehen einzuwenden, das in der pastoralen Frage nach dem Umgang mit wiederverheirateten Geschiedenen nicht am Buchstaben der rechtlichen Formulierung festhält, sondern nach Möglichkeiten sucht, der ganzen Vielfalt des Lebens gerecht zu werden. Wenn die Rezeption des Wortes Jesu zur Ehescheidung schon immer diese Tendenz hatte, so kann sie sich heute nicht verbieten. Dabei müsste ein Überdenken der gegenwärtigen Praxis nicht auf radikale Lösungen zielen, sich also nicht an jener hermeneutischen Weite orientieren, mit der das jesuanische Eidverbot – in der Bergpredigt unmittelbar nach der Antithese zur Ehescheidung (Mt 5,33–37) – in kirchliche Bestimmungen eingegangen ist.

Anmerkungen

1 Vgl z.B. J. Gnilka, Das Evangelium nach Markus (EKK II,1–2), Zürich / Neukirchen-Vluyn 1978, II 70.

2 S. dazu unten 3c.

3 Vgl. P. Billerbeck, Kommentar zum Neuen Testament aus Talmud und Midrasch, 4 Bde., München 1922–28, I 318.

4 R. Pesch, Freie Treue. Die Christen und die Ehescheidung, Freiburg i. Br. 1971, 17.

5 Auch „unter Eheleuten soll gewiß nicht nur siebenmal verziehen (vgl. Mt 18,12f par), nicht der erste Stein aufgehoben (vgl. Jo 8,7) werden" (R. Pesch, Treue [s. Anm. 4] 21).

6 So wird in der Zitierung von Gen 2,24 die griechische Übersetzung verwendet; das Überlieferungsstück ist außerdem so geformt, dass vor allem eine bestimmte Position Jesu gerechtfertigt werden soll: Frage der Pharisäer, Gegenfrage Jesu, Antwort der Pharisäer – alles folgt so aufeinander, dass die biblische Begründung für die Ablehnung des Scheidebriefes gegeben werden kann. Dies ist allerdings die für Streitgespräche übliche Stilisierung: hier läuft immer alles auf die Antwort Jesu zu, auf die die Gegner nichts mehr erwidern können.

7 K. Backhaus fasst dies in Anlehnung an Mk 2,27 in die Formel: Gott hat nicht den Menschen für die Ehe, sondern die Ehe für den Menschen geschaffen (vgl. Das Verbot der Ehescheidung bei Jesus. Ursprungssinn und Sinnentwicklung im Neuen Testament, in: De processibus matrimonialibus 17/18 [2010/11] [*im Erscheinen*]).

8 Vgl. dazu in diesem Band die Beiträge von Schüller, Pesch und Ruster.

9 Unter „Unzucht" ist hier „Ehebruch" zu verstehen, vgl. z. B. U. Luz, Das Evangelium nach Matthäus (EKK I,1–4), Zürich / Neukirchen-Vluyn 1985–2002, I[5] 362–364.

10 So z. B. U. Luz, Mt III 98f.

11 Dies bestätigt die oben vertretene Sicht, dass Matthäus bei einer Entlassung „im Fall von Unzucht" die Wiederheirat nicht als Ehebruch wertet. Eine faktisch zerstörte Ehe kann nicht gebrochen werden.

12 Diese Pflicht kann schon bei geringeren Vergehen als Ehebruch greifen (vgl. die Belege bei P. Billerbeck, Kommentar I [s. Anm. 3] 315–317).

13 J. Kremer, Jesu Wort zur Ehescheidung. Bibeltheologische Überlegungen zum Schreiben der Glaubenskongregation, in: Stimmen der Zeit 213 (1995) 89–105, hier: 96.

14 U. Luz, Mt I[5] (s. Anm. 9) 365.

15 Vgl. etwa C. Casetti, Auch Jesus hat Rechte, in: Die Tagespost vom 7.2.2012, S. 6.

16 Geht es um den ungleichzeitigen Mahlbeginn, in dem sich auch soziale Differenzen ausdrücken (H.-J. Klauck, Herrenmahl und hellenistischer Kult. Eine religionsgeschichtliche Untersuchung zum ersten Korintherbrief [NTA NF 15], Münster 1982, 292f)? Kritisiert Paulus das Verzehren der je eigenen mitgebrachten Portion (M. Klinghardt, Gemeinschaftsmahl und Mahlgemeinschaft. Soziologie und Liturgie frühchristlicher Mahlfeiern [TANZ 13], Tübingen 1996, 286–295) oder grundsätzlich den Individualismus beim Herrenmahl (A. Lindemann, Der Erste Korintherbrief [HNT 9/I], Tübingen 2000, 251–253)?

17 Vgl. auch H.-J. Klauck, Herrenmahl (s. Anm. 16) 296; A. Lindemann, 1Kor (s. Anm. 16) 259.

18 C. Casetti, Auch Jesus hat Rechte (s. Anm. 15) 6.

Thomas Schüller

Das Kirchenrecht und die wiederverheirateten Geschiedenen

1. Vorbemerkung

Eigentlich wollte ich als Theologe und Kirchenrechtler nichts mehr zu diesem Thema schreiben. Es ist zu viel Tinte geflossen und Druckerschwärze umsonst investiert worden, ohne dass sich auch nur irgendetwas an der kirchenamtlichen Haltung geändert hätte. Obwohl: Ich wäre nie zum Studium der Katholischen Theologie gekommen, wären da nicht in der Pfarrgemeinde im Kölner Norden, wo ich meinen Zivildienst im Auftrag des Katholischen Jugendamtes absolvierte, gerade solche Katholiken die tragenden Säulen der Gemeinde gewesen, die als wiederverheiratete Geschiedene eigentlich nie für den Pfarrgemeinderat oder Kirchenvorstand hätten aufgestellt werden dürfen. Als ich am Ende meines Studiums meine Diplomarbeit zu diesem Thema schrieb, musste ich oft an diese Menschen denken. Dann kam während meiner Zeit im Bistum Limburg das Schreiben der Bischöfe der Oberrheinischen Kirchenprovinz[1] und die kurz darauf folgende schroffe Reaktion der Glaubenskongregation. Breite Resonanz vieler Gläubiger gab es wiederum auf einen Beitrag meines Bischofs Franz Kamphaus in der SZ[2], in der er unseren jetzigen Papst auf seine eigenen Arbeiten hinwies – und doch wieder das Festhalten am Ausschluss dieser Gläubigen von der Eucharistie erfuhr. Ich kann die Abende und Veranstaltungen in Pfarrgemeinden und katholi-

schen Verbänden nicht zählen, wo ich zu diesem Thema sprach und mit Betroffenen diskutierte. Als Verwaltungskanonist in der Bischöflichen Kurie hatte ich zudem die nicht selten bittere Pflicht in vielen Gesprächen, Menschen, die vor Gott kirchlich heiraten wollten, die Auskunft geben zu müssen, dass dies wegen einer Vorehe nicht möglich sei. Mittlerweile verfestigt sich mein Eindruck, dass die Amtskirche längst den Kairos verpasst hat, um den betroffenen katholischen Gläubigen auf nachvollziehbare Art und Weise in ihrer konkreten Situation zu begegnen. Entweder sind sie resigniert aus der Kirche ausgewandert oder fanden ihren individuellen Weg, mit dem Nein der verfassten Kirche zu ihrer Lebenssituation umzugehen.
Und dann das: Über 200 Diakone und Priester im Erzbistum Freiburg schaffen mit einem Memorandum[3] für die Zulassung von wiederverheirateten Geschiedenen zur Eucharistie Fakten, indem sie erklären, nicht mehr die kirchenrechtlichen Normen zu beachten, sondern bedingungslos diesen Gläubigen als Ausdruck pastoraler Barmherzigkeit die Kommunion zu spenden. Großartig, denke ich, warum habe ich mir bei meiner Doktorarbeit die Finger wund geschrieben, um diesen scheinbaren Widerspruch kirchenrechtstheoretisch und rechtstheologisch mit Blick auf die ostkirchliche Pastoral- und Kirchenrechtspraxis in Einbeziehung des Oikonomiaprinzips begründet in Frage zu stellen.[4] Endgültig wird mir als Kirchenrechtler die Stimmung verhagelt, wenn ich beim von mir geschätzten Kollegen Schockenhoff lesen muss,[5] es sei Schuld des katholischen Kirchenrechts, dass es in dieser Frage zu keiner Lösung komme. Im kanonischen Eherecht dominiere ein Eheverständnis, das nur von der Kategorie des Vertrags her denke und somit jeden Geschlechtsakt mit einer anderen Person als dem in erster Ehe angetrauten Partner als Vertragsbruch begreife. Noch weniger verstehe ich die Ausführungen meines Kollegen aus der Dog-

matik: Allein das Kirchenrecht sei verantwortlich für das Ausbleiben zukunftsweisender Lösungen, da das kanonische Eherecht zum Beispiel das Jesuswort vom Verbot der Scheidung im Markusevangelium einseitig auslege.[6] Seit wann kommt dem Kirchenrecht die Auslegung von Schriftworten zu? Speisen sich nicht vor allem die Quellen des kanonischen Eherechts auch maßgeblich aus der Theologie der westlichen Kirchenväter? Und beginnt nicht der einleitende Kanon des kanonischen Eherechts mit Beschreibung der Ehe als Bund (foedus), wie sie das II. Vaticanum vornahm?[7] Ist es wirklich so, dass das Kirchenrecht die Quelle all jener Aporien und Dramen ist, die die Problematik des Umgangs mit wiederverheirateten Geschiedenen mit sich bringt? Oder ist es ihm vielmehr – so meine kritische Anfrage an die systematische Theologie – bisher nicht oder zu wenig gelungen, das katholische Lehramt mit guten Argumenten davon zu überzeugen, endlich der eigenen Tradition zu folgen, anstatt sie zu verraten, wie es Daniel Deckers in einem Kommentar in der FAZ[8] theologisch luzide auf den Punkt gebracht hat. Von daher ist dieser Beitrag aus der Perspektive des Kirchenrechts auch ein wenig zu einer Streitschrift geraten; ihr Ziel soll es sein, mit Vorurteilen und einseitigen Schuldzuweisungen aufzuräumen, um vielmehr das Entstehen eines theologisch gewissenhaften Dialogs über die oben aufgeworfenen Fragen zu initiieren. Es gilt, endlich den betroffenen Gläubigen vor dem überlieferten und an die Botschaft Jesu rückgebundenen Glauben der Kirche verantwortbare und für sie lebbare Lösungen aufzuzeigen.
Darum die These: Nicht das Kirchenrecht ist monokausal die Ursache allen Übels in dieser Frage, denn es reflektiert als „geronnene Dogmatik“ immer den aktuellen lehramtlichen Status quo. Vielmehr ist es der Theologie insgesamt im Konzert aller Fächer bisher nicht gelungen – da nehme ich mein Fach

nicht aus –, dem katholischen Lehramt zur Einsicht in die eigene Tradition, die Lösungsansätze bereithält, zu verhelfen.

2. Kirchenrechtliche Grundlagen und zugleich Fragwürdigkeiten

Zugegeben: Das Vertragsdenken, welches im römischen Eherecht der Antike gründet, ist im kirchlichen Eherecht weiterhin einflussreich; es ist haftbar zu machen für die verkürzte Vorstellung, dass es in einer Ehe allein um die wechselseitige Übertragung von Rechten und Pflichten der Ehepartner gehe und weniger um ein sich wechselseitiges, personal verstandenes Schenken und Annehmen als unverwechselbare Individuen, die ja zueinander sagen. Und doch gehört das Jawort der Brautleute in der westlichen Tradition der Kirche als Wirkursache der Ehe in den Kontext einer kontraktuellen Vorstellung von Ehe, die ein Sakrament und eine verbindliche, lebenslange Bindung unauflöslich schafft. Auf nichts anderes weist der Eingangskanon des kanonischen Eherechts hin, wenn er einerseits die Ehe als Bund im Sinne einer personalen Übereignung der Eheleute beschreibt, gleichzeitig aber daran festhält, dass die Ehe zwischen zwei Christen sowohl Sakrament als auch Vertrag ist. Auch der inhaltlich aufgeladene biblische Begriff des Bundes (foedus), den die Konzilsväter in der Pastoralkonstitution Gaudium et spes (47–52) statt des Vertragsbegriffs (contractus) auswählten, um die Ehe als personal verstandene dauerhafte Lebensgemeinschaft von Mann und Frau zu beschreiben, enthält dennoch eine juridische Dimension: In der Bundeszusage Gottes an sein auserwähltes Volk im Alten und Neuen Testament wird Gottes unverbrüchliche Treue manifest, die Bindung und Verlässlichkeit bedeutet. Somit ist die Ehe kirchenrechtlich als primär personale Lebensgemeinschaft Bund und auch Vertrag, wie es der c. 1055 CIC in seinen beiden Paragraphen klar zum Ausdruck bringt. Wie abwegig die These vom dominierenden Vertragsverständnis im geltenden kanonischen Eherecht ist, zeigt auch c. 1057 § 2 CIC: „Der Ehekonsens ist der Willensakt, durch den Mann und Frau sich in einem unwiderruflichen Bund gegenseitig schenken und annehmen, um eine Ehe zu gründen." Wie kann man kirchenrechtlich noch präziser ein personales Eheverständnis auf den Punkt bringen, wenn im bereits genannten Eingangskanon vom Ehebund die Rede ist, „durch den Mann und Frau unter sich die Gemeinschaft des ganzen Lebens begründen", der hingeordnet ist auf das „Gattenwohl" und „die Zeugung und Erziehung von Nachkommenschaft"? Da ist keine Rede mehr vom Primärzweck (finis primarius) der Ehe, der Zeugung von Nachkommenschaft, für den sich die Eheleute wechselseitig das Recht auf den Körper des anderen einräumen, wie es noch im alten Kodex von 1917 zu lesen war.[9] Aber hier beginnt gleichzeitig auch das Problem: So sehr sich das geltende Eherecht bemüht, das personale Eheverständnis aus Gaudium et spes zu rezipieren und damit die eheliche Sexualität als Ausdruck, nicht mehr aber als erfüllenden und zudem auf Zeugungsaktivität finalisierten und ausschließlichen Inhalt des Ehevertrages zu begreifen, kann man inzwischen in Urteilen der Römischen Rota diese alte Sicht des CIC/1917 wieder nachlesen und nicht immer machen römische Richter ernst mit der Möglichkeit, dass Nupturienten das Gattenwohl ausschließen oder aus Gründen der psychischen Beschaffenheit nicht realisieren können. Was dies für Folgen hat, zeigt sich sowohl bei der Frage nach dem „moralischen" Tod einer Ehe aus personaler Perspektive, wie ihn die Ostkirchen seit Anfang der auch mit der Kirche des Westens lange Jahrhunderte gemeinsamen Kirchengeschichte kennen und bis heute anerkennen, als auch in der Frage der Zulassung, besser dem Hinzutretenlassen von wiederverheirateten Geschiedenen zur Eucharistie. Klaus Lüdicke bringt den eigentlichen Vorbehalt, den das Lehramt der katholischen Kirche auf seiner unnachgiebigen Haltung beharren lässt, pointiert auf den Punkt. Den lehramtlichen Vorgaben „lässt sich entnehmen, das nicht das Verlassen der Lebensgemeinschaft mit dem rechtmäßigen Ehegatten der Unauflöslichkeit widerspricht und einem Kommunionempfang im Wege steht, auch nicht das Leben in der häuslichen Gemeinschaft mit einem anderen Partner. Das Zeichen der Bundestreue Christi wird nicht durch Scheidung verletzt, nicht durch eine neue Lebenspartnerschaft, sondern allein durch den sexuellen Vollzug dieser neuen Gemeinschaft."[10] Es mag sein, dass die Pastoralmacht der katholischen Kirche, die sie, was Sünden gegen das sechste Gebot angeht und die sie vor allem im Bußsakrament über lange Zeit ausgeübt hat, zerbrochen ist und sich hier ein epochaler Bedeutungsverlust der ehemals so mächtigen Institution, was das individualethische Verhalten ihrer Gläubigen angeht, deutlich zeigt.[11] Dennoch versucht sie weiterhin bei den wiederverheirateten Geschiedenen ein Exempel zu statuieren und bezieht dabei die scheinbare theologische Legitimation ihres Verhaltens aus einer naturrechtlich verkürzten Identifikation von christlicher Ehe mit vertraglich zugesichertem Geschlechtsverkehr ausschließlich mit dem ersten Ehepartner. Darum geht es im Kern und hier kreist auch das in einem zweiten Schritt noch kirchenrechtlich zu analysierende Problem der Eucharistieverweigerung für wiederverheiratete Geschiedene.

Doch zunächst ist der Frage nachzugehen, wie es das kanonische Eherecht selbst mit der Unauflöslichkeit der Ehe hält, die nach c. 1056 CIC zu den Wesenseigenschaften der Ehe zählt. Es gehört zu den Eigentümlichkeiten des Eherechts, dass nur die sakramentalen, d. h. zwischen zwei Christen gültig geschlossenen und vollzogenen Ehen absolut unauflöslich sind. Im Laufe der Rechtsgeschichte ist die Kirche nämlich in vielen anderen ehelichen Konstellationen dazu übergegangen, Möglichkeiten für die Auflösung von Ehen zu schaffen, die nicht unter diese Kategorie fallen. So reklamiert z. B. der Papst die Vollmacht, jene Ehen aus einem gerechten Grund aufzulösen, die zwischen zwei Getauften sowie zwischen einem getauften und ungetauften Partner zwar gültig geschlossen, aber nicht vollzogen wurden.[12] Weiterhin ist es seit der frühen Kirche mit Verweis auf 1 Kor 7,12–15 ein durchaus gängiger Brauch, dass ein zum Christentum gekommener Ehepartner, wenn ihn der ungetauft verbleibende Partner verlässt, ein weitere Ehe eingehen darf.[13] Gegen Anfang des 20. Jahrhunderts begann die Praxis, dass der Papst auch sog. halbsakramentale Ehen, d. h. solche, wo ein Partner Christ und der andere ungetauft ist, zugunsten der Ehe mit einem anderen Christen (sog. Favorem-fidei-Verfahren, untechnisch auch petrinisches Privileg genannt) auflöste; später wurde diese Praxis auch auf Naturehen ausgeweitet, von denen einer der Partner einen Christen in zweiter Ehe heiraten will, selbst aber nicht getauft wird. Und im Kirchenrecht selbst kann mit Zustimmung des Diözesanbischofs die Trennung von Tisch und Bett ermöglicht werden. Wenn man dann noch bedenkt, dass alle nur zivilrechtlich geschlossenen Ehen, bei denen einer der Partner katholischer oder ostkirchlicher Christ ist, wegen Nichteinhaltung der Formpflicht auf dem Verwaltungsweg für nichtig erklärt werden können und danach eine zweite kirchliche Eheschließung ohne Probleme möglich ist, dann ist es ebenjenem Anteil der wiederverheirateten Geschiedenen, der nun einmal nicht zu einer der beschriebenen Fallgruppen zählt, nur sehr schwer verständlich zu machen, warum ihnen nicht nur eine zweite kirchliche Eheschließung verwehrt wird, sondern die Kirche sie bei bestehender Geschlechtsgemeinschaft in dieser zweiten, zumeist nur zivilrechtlich geschlossenen Ehe auch vom Empfang der übrigen Sakramente (außer in Todesgefahr) grundsätzlich ausschließt. Was hat dies mit einer theologisch konkludenten Lehre und Praxis der Kirche noch zu tun, mag sich mancher fragen.

Wie ist also mit diesen Gläubigen umzugehen, deren erste Ehe eine kirchenrechtlich gültige, vollzogene und sakramentale Ehe ist, bei denen keine wirklichen Hinweise auf die mögliche Nichtigkeit der ersten Ehe vorliegen, die nun in zweiter, zumeist standesamtlicher Ehe leben und mit ihrer Kirche im Frieden verbunden sein wollen? Nach c. 1085 § 1 CIC liegt das indispensable Ehehindernis des bestehenden Ehebandes vor – indispensabel, da auf der Schöpfungsordnung und der Weisung Jesu beruhend und somit göttlichen Rechts.

War es das wirklich schon?

3. Kirchenrechtliche Lösungsansätze

In der aktuellen Diskussion wie schon in den letzten Jahrzehnten wird vor allem aus der systematischen Theologie mit Nachdruck gefordert, die kirchliche Disziplin im Umgang mit den wiederverheiratet Geschiedenen, d. h. die kirchenrechtlichen Normen im Sakramenten-, vor allem aber im Eherecht, zu ändern. Dabei ist zum einen die Frage zu beantworten, wie mit dem bestehenden Eheband der ersten Ehe umzugehen ist, das im Falle einer vollzogenen und sakramentalen Ehe ein trennendes und indispensables Ehehindernis darstellt, so dass eine gültige zweite kirchliche Eheschließung nicht möglich ist. Davon ist zum anderen zu unterscheiden, wie wiederverheirateten Geschiedenen die Teilnahme am sakramentalen Leben der Kirche, vor allem aber der Empfang der Eucharistie ermöglicht werden kann, sowie die Frage, ob und inwieweit dieser Status dann mit gliedschaftsrechtlichen Einschränkungen einhergeht.

Die Suche nach Lösungen „darf die kirchliche Lehre über die Unauflöslichkeit der Ehe und über das Erfordernis ehelicher Treue nicht zur Disposition stellen. Täte das die Kirche, würde sie dem Wort und der Weisung Jesu untreu“[14]. Letztlich läuft es dann kirchenrechtlich auf zwei Lösungsansätze hinaus, die versuchen, die Lehre der Kirche mit der konkreten Lebenssituation der wiederverheirateten Geschiedenen in Übereinstimmung zu bringen.

Zum einen verweist man auf die Unterschiede in der rechtlichen und moralischen Beurteilung einer zweiten Ehe und kann sich unter Verweis auf das vom Gewissen der Gläubigen in dieser neuen Verbindung getragene Urteil vorstellen, dass der Rechtsanwender – in der Regel wohl der zuständige Pfarrer – in Abwägung der theologischen und rechtlichen Güter, die in der konkreten Situation vorliegen, mit Blick auf das Heil der Seelen (salus animarum; c. 1752 CIC) in Einbeziehung der kanonischen Billigkeit (aequitas canonica) die zweite Ehe als sittliche Größe im Namen der Kirche akzeptiert, vielleicht auch nur duldet und zu den Sakramenten zulässt.[15] Der „Charme“ dieser Lösung liegt wohl darin, dass individuell auf die Lebenssituation eingegangen werden kann, ohne an der Lehre und den aus ihr abgeleiteten rechtlichen Normen nach außen etwas ändern zu müssen. Zudem sind natürlich die handlungsleitenden Motive Barmherzigkeit und Gewissen positiv konnotiert. Kritisch bleibt anzumerken, dass für die Betroffenen keinerlei Rechtssicherheit besteht, es also sehr auf den zuständigen Kleriker ankommt. Bedenkt man diesen Punkt, so wird fraglich, ob dieser Lösungsansatz wirklich zukunftsweisend sein kann und unter dem Aspekt der von der Gerechtigkeit geforderten Gleichbehandlung wirklich Perspektiven aufweist.

Einen radikalen Vorschlag hat Markus Güttler[16] in Anlehnung an R. Weigand[17] in seiner Doktorarbeit entwickelt. Er unterscheidet deutlich zwischen dem unverfügbaren Kern des Ehehindernisses – unverfügbar, weil im positiven göttlichen Recht in der Weisung Jesu grundgelegt – und der Verfügbarkeit der Eheschließung für die Kirche, die für sich die Rechtsvollmacht über die Ehe beansprucht. „Wenn es der Kirche möglich ist ... die Bedingungen festzulegen, unter denen eine gültige Ehe entsteht, anders ausgedrückt: unter denen das Ja-Wort der Partner seine Rechtsverbindlichkeit erhält und Rechtswirkungen zeigt, dann muß es ihr ebenso möglich sein zu entscheiden, daß diese Rechtswirkungen nicht länger bestehen, weil sich die Voraussetzungen, unter denen sie zustande gekommen sind, grundlegend verändert haben."[18] Mit dem Rechtsinstitut der Dispens (c. 85 CIC) handle es sich um eine wirkliche Befreiung von einer Gesetzesverpflichtung; Bedingung sei die unwiderrufliche Zerstörung, der moralische „Tod" der ersten Ehe. Die Wirkungen der Dispens sieht Güttler in der Befreiung vom Ehehindernis der bestehenden Ehe, dem Festhalten an der Unauflöslichkeit der ersten Ehe sowie darin, dass den Betroffenen eine neue Ehe gestattet wird. Wie eine solche neue Ehe theologisch einzuschätzen ist, bleibt offen. Dies gilt ja auch bei Rückfrage an die ostkirchlichen Theologen, die auf meine oft gestellte Frage, welche theologische Qualität eine nach einer längeren Bußzeit gestattete zweite, in einem Bußritus kirchlich geschlossene Ehe denn habe, zumeist ausweichende Antworten geben. Der Vorteil dieses Vorschlages liegt daran, dass er ein an den Diözesanbischof rückgebundenes klares rechtliches Procedere vorsieht, an dessen Ende durch Erteilung der Dispens von den Rechtswirkungen der ersten Ehe befreit und eine zweite Ehe gestattet wird. Fragen eher systematischer Natur an diesen Vorschlag beziehen sich auf die theologische Qualität der zweiten Ehe und ob man theologisch (!) so zwischen unverfügbarem Kern und den Rechtswirkungen der ersten Ehe unterscheiden kann, als handle es sich um zwei eigenständige und unverbunden nebeneinanderstehende Wirklichkeiten des einen Sakramentes.

Vielleicht ist es an der Zeit, den oft zitierten Vorschlag von Joseph Ratzinger aus dem Jahr 1972 kirchenrechtlich umzusetzen. Zunächst stellt Ratzinger nach genauer Analyse der Väterliteratur dogmengeschichtlich fest: „Unterhalb der Schwelle der klassischen Lehre, sozusagen unterhalb oder innerhalb dieser eigentlich die Kirche bestimmenden Hochform, hat es offensichtlich immer wieder in der konkreten Pastoral eine geschmeidige Praxis gegeben, die zwar nicht als dem wirklichen Glauben der Kirche ganz konform angesehen, aber doch auch nicht schlechthin ausgeschlossen wurde.“[19] Dies ist Teil der gemeinsamen Tradition von Ost- und Westkirche und damit essentieller Bestand der katholischen Identität. Folgerichtig zieht Ratzinger dann sehr konkrete Schlüsse aus diesem Strang katholischer Tradition: „Wo eine erste Ehe seit langem und in einer für beide Seiten irreparablen Weise zerbrochen ist; wo umgekehrt eine hernach eingegangene zweite Ehe sich über einen längeren Zeitraum hin als eine sittliche Realität bewährt hat, da sollte auf einem außergerichtlichen Weg auf das Zeugnis des Pfarrers und von Gemeindemitgliedern hin die Zulassung der in einer solchen zweiten Ehe Lebenden zur Kommunion gewährt werden."[20] Zu diesen Kriterien müssten m.E. noch folgende Aspekte hinzutreten: 1. Werden die natürlichen Verpflichtungen gegenüber dem Partner und den Kindern aus der ersten Ehe erfüllt? 2. Besteht die Bereitschaft zu einem Leben aus dem Glauben, insbesondere was die religiöse Erziehung der Kinder aus der zweiten Ehe angeht? 3. „Ist das Verlangen nach dem Empfang von Sakramenten religiös motiviert?"[21] Kirchenrechtlich halte ich die Anbindung an den zuständigen Diözesanbischof für unerlässlich, d.h., diese Lösung sollte nicht in die Hand der Pfarrer gelegt werden. Die Pfarrer sollten die Bitte der betroffenen Gläubigen schriftlich zusammen mit ihrer Stellungnahme und dem Votum von ausgewählten Gemeindemitgliedern dem Bischof überstellen, dem dann eine Entscheidung in der Sache zukommt; der Entscheid des Bischofs erfolgt dann durch ein Feststellungsdekret, das den Gläubigen, die in zweiter Ehe leben, ausgehändigt wird. In diesem Dekret sollte m.E. aus den geschilderten dogmatischen Anfragen an die o.g. Dispenslösung nur stehen, dass der Bischof feststellt, dass aus seiner Sicht keine rechtlichen Bedenken bestehen, dass dieses Ehepaar an den liturgischen und sakramentalen Grundvollzügen der Kirche ohne Einschränkung teilnehmen kann und auch sonst keine gliedschaftsrechtlichen Beschränkungen vorliegen. Dies würde zum Beispiel bedeuten, dass diese Gläubigen auch für die Wahl zu den pfarrlichen Gremien wie dem Pfarrgemeinderat als Kandidaten aufgestellt werden könnten.

Bleibt also noch ein letzter Blick auf die Sakramentenspendung an wiederverheiratet Geschiedene. In manchen Stellungnahmen in den letzten Wochen konnte man den Eindruck gewinnen, es handle sich bei der Zulassung von wiederverheirateten Geschiedenen zur Eucharistie um einen

Ausdruck pastoraler Barmherzigkeit. So kann man im Memorandum der Freiburger Priester und Diakone diesen Unterton deutlich heraushören, wenn es etwa heißt, dass sie sich von Barmherzigkeit leiten lassen beim pastoralen Handeln und so wiederverheiratete Geschiedene „mit ihrem Einverständnis zur Kommunion“[22] gehen dürften. Warum Barmherzigkeit, fragt Klaus Lüdicke als Kirchenrechtler m. E. nachvollziehbar kritisch zurück, und ich füge an, warum braucht es da ein Einverständnis des Kommunionspenders? Der neue Erzbischof von Berlin, Kardinal Rainer Maria Woelki, bringt den Sachverhalt kirchenrechtlich präzise (cc. 915, 916) auf den Punkt, wenn er auf die Frage, ob er Wiederverheirateten die Kommunion reiche, klug antwortet: „Als Priester muss ich bei jedem, der von mir die Eucharistie erbittet, davon ausgehen, dass er dies mit reinem Herzen tut.“[23] Im Eucharistierecht geht es bei den beiden genannten Kanones um unterschiedliche Ebenen. Jeder Gläubige ist nach c. 916 CIC verpflichtet, wenn er sich einer schweren Sünde bewusst ist, zunächst zu beichten, bevor er den Leib des Herrn empfängt. Diese Urteilsbildung kann aber nur der einzelne Gläubige selbst vornehmen und muss sich dann dementsprechend verhalten: „Das Urteil über die Würdigkeit zum Empfang der Kommunion steht niemand anderem zu als dem Empfänger selbst.“ Und weiter: „Abzuweisen ist nach c. 915 nur der, dessen Absage an Gott für den Kommunionspender sicher, hartnäckig und offenkundig ist. Wer von denen, die sich in einem solchen Zerwürfnis mit Gott befinden, würde um die Eucharistie bitten?“ Von daher gilt: „Dem Gläubigen aber, dessen Bruch mit Gott für den Kommunionspender nicht unzweifelbar sicher ist, ist er die Kommunion zu reichen verpflichtet, nicht aus Barmherzigkeit, sondern in Erfüllung des ihm anvertrauen Dienstes.“[24]

Anmerkungen

1 Vgl. Zur seelsorglichen Begleitung von Menschen aus zerbrochenen Ehen, Geschiedenen und Wiederverheirateten Geschiedenen. Einführung, Hirtenwort und Grundsätze, hrsg. von den Bischöflichen Ordinariaten der Oberrheinischen Kirchenprovinz Freiburg i. Br., Mainz, Rottenburg-Stuttgart, 1993.

2 Vgl. F. Kamphaus, Wenn Ehen scheitern, in: R. Rüberg (Hrsg.), Im Widerspruch. Zur Kontroverse um die wiederverheirateten Geschiedenen, Kevelaer-Düsseldorf 1995, S. 52–55.

3 Vgl. http://www.memorandum-priester-und-diakone-freiburg.de/?page_id=273 (eingesehen am 27.6.2012).

4 Vgl. T. Schüller, Die Barmherzigkeit als Prinzip der Rechtsapplikation in der Kirche im Dienste der salus animarum. Ein kanonistischer Beitrag zu Methodenproblemen der Kirchenrechtstheorie (= FzK 14), Würzburg 1993; A. Belliger, Die wiederverheirateten Geschiedenen (= Beihefte zum MK 26), Essen 2000, hat mit Bezug auf meine rechtstheoretischen Ausführungen das Oikonomiaprinzip auf die Frage des Umgangs mit wiederverheirateten Geschiedenen angewendet.

5 Vgl. E. Schockenhoff, Interview mit dem Deutschlandradio „Dahinter steckt auch ein sehr merkwürdiges Eheverständnis, in: http://www.dradio.de/dkultur/sendungen/interview/1792542/ (eingesehen am 27.6.2012); ders., Scheitern und Gnade. Im Umgang mit Geschiedenen, die wieder heiraten, muss sich die katholische Kirche von ihrer eigenen Doktrin befreien, in. SZ v. 27.6.2012, 146 (2012), S. 2.

6 Vgl. http://www.uni-muenster.de/FB2/aktuelles/AntrittMuellerNach.html (eingesehen am 27.6.2012).

7 Vgl. c. 1055 CIC.

8 Vgl. D. Deckers, Gegen die Tradition, in: FAZ v. 19.6.2012 (140/2012), S. 8.

9 c. 1013 § 1 CIC/1917.

10 K. Lüdicke, Wieso eigentlich Barmherzigkeit? Die wiederverheirateten Geschiedenen und der Sakramentenempfang, in: Herder Korrespondenz 66 (2012), S. 335–340.

11 Vgl. R. Bucher / R. Krockauer, Macht und Gnade. Untersuchungen zu einem konstitutiven Spannungsfeld der Pastoral (Werkstatt Theologie Bd. 4), Münster 2005.

12 c. 1142 CIC.

13 Frankemölle hält unter Berufung auf Klauck und Merklein „die Rezeption der paulinischen Sprachform in ein Rechtsbuch" übrigens für „durchaus angemessen", vgl. H. Frankemölle, Ehescheidung und Wiederverheiratung von Geschiedenen im Neuen Testament, in: T. Schneider (Hrsg.), Geschieden – Wiederverheiratet – Abgewiesen? Antworten der Theologie (= QD 157), Freiburg i. Br. 1995, S. 28–67, hier S. 39.

14 E. Schockenhoff, Scheitern (Anm. 5).

15 Vgl. für viele H. Pree, „Unio irregularis" – Der Sakramentenempfang von Geschiedenen, geschiedenen Wiederverheirateten, ehelos Zusammenlebenden und nur zivil verehelichten Katholiken nach kanonischem recht, in: K. Lüdicke / H. Paarhammer / D. A. Binder (Hrsg.), Neue Positionen des Kirchenrechts, Graz 1994, S. 119–152; M. Kaiser, Wer darf nicht zur heiligen Kommunion zugelassen werden? Zur Interpretation von c. 915 CIC mit besonderer Berücksichtigung der Frage, ob wiederverheiratete Geschiedene davon betroffen sind, in: W. Aymanns / K.-T. Geringer, Iuri Canonico Promovendo. Festschrift für Heribert Schmitz zum 65. Geburtstag, Regensburg 1994, S. 175–207.

16 Vgl. M. Güttler, Die Ehe ist unauflöslich! (= Beihefte zum MK 34), Essen 2002, S. 214–220.

17 Vgl. R. Weigand, Die Kirche und die wiederverheirateten Geschiedenen, in: Anzeiger für die Seelsorge 108 (1998), S. 433–439.

18 Ebd., S. 218.

19 J. Ratzinger, Zur Frage der Unauflöslichkeit der Ehe, in: F. Henrich / V. Eid (Hrsg.), Ehe und Ehescheidung. Diskussion unter Christen, München 1972, S. 35–56, hier S. 40.

20 Ebd., S. 54.

21 M. Kaiser, Kommunion (Anm. 11), S. 205.

22 http://www.memorandum-priester-und-diakone-freiburg.de/?page_id=273 (eingesehen am 27. 6. 2012).

23 „Kirche der Sünder", in: Die Zeit Nr. 27 v. 28. 6. 2012, S. 60.

24 K. Lüdicke, Barmherzigkeit (Anm. 8), S. 340.

Eberhard Schockenhoff

Ausgeschlossen vom Mahl der Versöhnung?

Plädoyer für eine Revision der kirchlichen Praxis gegenüber wiederverheirateten Geschiedenen

Anders als die Ostkirche, die eine zweite Eheschließung zu Lebzeiten des ersten Ehepartners duldet und den Gläubigen dafür eine von der ersten feierlichen Hochzeit verschiedene liturgische Trauungszeremonie unter dem Zeichen der Buße und Umkehr anbietet, hat sich in der lateinischen Kirche des Westens unter dem Einfluss des Augustinus und seiner Theorie vom Eheband eine strengere Regelung durchgesetzt. Wiederverheiratete Geschiedene können nicht zur Eucharistie und zu den übrigen Sakramenten zugelassen werden, weil sie – so die lehramtliche Begründung – im objektiven Widerspruch zu den Verpflichtungen stehen, die sie in ihrer ersten Ehe eingegangen sind.[1] Sie können nach dieser Annahme die Schuld nicht bereuen und wiedergutmachen, die sie durch den Bruch ihres Eheversprechens und den andauernden Verstoß gegen die eheliche Treue gegenüber ihrem ersten Partner auf sich laden. Diese Begründung rief in der theologischen Diskussion der letzten Jahrzehnte eine Reihe exegetischer, theologiegeschichtlicher und systematischer Einwände hervor, die eine Revision der geltenden kirchlichen Praxis fordern. Die Vorschläge reichen von einer Erleichterung der Ehenichtigkeitsverfahren über eine amtliche Zulassung zur Eucharistie auf außergerichtlichem Weg[2] oder unter Berufung auf die *aequitas canonica*[3] (= kanonische

Billigkeit) bis hin zur Übernahme der ostkirchlichen Duldung einer zweiten Ehe unter dem Zeichen der Buße.[4] Die Bischöfe der oberrheinischen Kirchenprovinz wählten in ihrem Hirtenbrief aus dem Jahr 1993 dagegen einen anderen Ansatz, indem sie auf das Gewissensurteil der Betroffenen bauten, das diesen einen Weg aufzeigen könne, wie sie erlaubterweise zur Eucharistie hinzutreten können. Ihr Vorschlag konzentriert sich daher darauf, Kriterien für ein derartiges Gewissensurteil aufzustellen und zur seelsorglichen Begleitung wiederverheirateter Geschiedener aufzufordern, die zu einer persönlichen Gewissensentscheidung ermuntern solle.[5]

Abkehr von der bisherigen Praxis notwendig

Die folgenden Überlegungen wollen aus einer theologisch-ethischen Perspektive aufzeigen, warum eine Abkehr von der bisherigen Praxis eines generellen Ausschlusses aller wiederverheirateten Geschiedenen unabdingbar ist.[6] Das zentrale moraltheologische Argument dafür sei vorweg genannt: Aus dem bloßen Faktum der Wiederheirat ist ein genereller Rückschluss auf das Vorliegen schwerer Schuld schon deshalb nicht möglich, weil Schuld neben dem *objektiven* Tatbestand eines Vergehens oder Fehlverhaltens immer einen *subjektiven* Aspekt aufweist, der sich der sicheren Beurteilung von außen entzieht. In unersetzbarer Weise ist dazu das an Gottes Gebot und Verheißung geschärfte Gewissen der einzelnen Gläubigen gefordert. Die Anerkennung der unhintergehbaren Kompetenz des Gewissens als letzter Beurteilungsinstanz, vor der jeder Einzelne über persönliche Schuld und Verantwortung entscheiden muss, entspricht der kirchlichen Lehre über die Würde des sittlichen Gewissens; sie impliziert in keiner Weise eine Relativierung moralischer Normen.[7] Deshalb stellt der Hinweis auf das Gewissen, dem in Trennungs- und Scheidungskonflikten das letzte Urteil über persönliche Schuld und eigenes Versagen zukommt, die kirchliche Lehre von der Unauflöslichkeit der Ehe und die Verpflichtungskraft des ehelichen Treueversprechens nicht in Frage.

Das Schuldempfinden an der Zerstörung der eigenen Ehe und an der Trennung vom ersten Ehepartner setzt vielmehr voraus, dass die Partner um die gegenseitige Verpflichtung wissen, die sie mit der Eheschließung eingegangen sind. Durch die Trennung, die in der Scheidung endgültigen Charakter annimmt, werden sie dieser im Eheversprechen öffentlich übernommenen Verpflichtung untreu. Für gläubige Menschen bedeutet dies einen Verstoß gegen Gottes Gebot, selbst dann, wenn sie an der Ehe festhalten wollen und ihnen die Trennung gegen ihren Willen aufgezwungen wird.

Damit ist jedoch die Frage nach der persönlichen Schuld, die jemand an der Zerstörung seiner Ehe trägt, noch nicht beantwortet. Wenn eine Ehe als personale Lebensgemeinschaft so sehr zerrüttet ist, dass ein Neuanfang nicht mehr möglich erscheint, ist die Trennung unabwendbar geworden. Nach menschlichem Ermessen ist dann eine Heilung nicht mehr zu erwarten und ein weiteres Zusammenleben einem der Partner oder auch beiden nicht mehr zumutbar.

Die Gründe, die zu dieser unheilvollen Entwicklung führten, sind auch für die Betroffenen oftmals nicht restlos durchschaubar. Persönliches Versagen, überzogene Erwartungen, schuldhafte Nachlässigkeit, die Unfähigkeit zu rückhaltloser Kommunikation in Krisenzeiten, mangelnde Empathie und die rücksichtslose Durchsetzung des eigenen Standpunktes gegenüber dem Partner schaffen ein verhängnisvolles Amalgam zerstörerischer Entwicklungsfaktoren, denen der anfängliche Wille zum Festhalten an der Ehe am Ende nicht mehr gewachsen ist.[8] In der Regel ist auf beiden Seiten Schuld im Spiel, wobei diese häufig nicht eindeutig zurechenbar ist. Zwar kommt es immer wieder vor, dass ein Partner die eigene Ehe durch bewusstes Fehlverhalten mutwillig zerstört oder eine bis dahin intakte Lebensgemeinschaft plötzlich aufgibt, weil er eine neue Beziehung eingehen möchte oder bereits eingegangen ist. Dies stellt gegenüber dem verlassenen Partner – früher zumeist den Ehefrauen, heute immer häufiger auch den verlassenen Männern – ein schweres Unrecht dar, das noch schwerer wiegt, wenn der verlassene Partner oder die Partnerin mit der Sorge für die gemeinsamen Kinder allein gelassen wird. In vielen Fällen sind beim Scheitern der Ehe die jeweiligen Schuldanteile jedoch nicht eindeutig zuzuordnen, was wiederum nicht bedeutet, dass beide Partner an der Zerstörung ihrer Lebensgemeinschaft gleichermaßen schuldig sind. Dass auch der andere Mitschuld an der Zerstörung der Ehe trägt, mindert jedoch in keiner Weise die eigene Schuld, die sich jeder für sich im Gewissen vorhalten muss. Warum sollten getrennt lebende und später geschiedene Ehepartner die Schuld nicht bereuen können, die sie durch die Nicht-Erfüllung ihres Eheversprechens und die Auflösung ihrer ehelichen Lebensgemeinschaft auf sich geladen haben? Solange sie keine neue Ehe eingehen, bestehen auch in der gegenwärtigen kirchlichen Praxis keine Bedenken, Geschiedene zu den Sakramenten zuzulassen, obwohl sie durch das Verharren in der Trennung in klarer Weise gegen Gottes Gebot verstoßen.[9] Zu Recht geht die Kirche in diesen Fällen davon aus, dass die geschiedenen Partner für die Schuld am Scheitern ihrer Ehe Vergebung erlangen können, auch wenn der Wille zur Wiederherstellung der zerstörten Beziehung nicht mehr vorhanden ist oder nach menschlichem Ermessen dazu keine Aussicht mehr besteht.

Da die Wiederaufnahme des ehelichen Zusammenlebens nach längerer Trennung von der Bereitschaft beider Partner abhängt, kann sie nicht einseitig erzwungen werden. Darum kann demjenigen, der seine Schuld an der Zerstörung der Ehe aufrichtig bereut, Vergebung zugesprochen werden, wenn eine Wiederherstellung der zerstörten Lebensgemeinschaft mit dem früheren Partner nicht mehr in seinen Kräften steht, selbst dann, wenn er die Hauptschuld an der Trennung trägt. Umgekehrt vermag der Partner, der sich dem Wunsch des anderen nach einer Wiederaufnahme der ehelichen Lebensgemeinschaft widersetzt, weil er dazu nicht mehr in der Lage ist, die eigene Schuld an der Zerstörung der Ehe aufrichtig und ernsthaft bereuen. Daher spricht nach geltender kirchlicher Lehre und Praxis nichts dagegen, getrennt lebende und geschiedene Ehepartner, deren Ehe unheilbar zerstört ist, zu den Sakramenten zuzulassen, auch wenn sie persönliche Schuld zu bereuen haben, deren Schwere sie in ihrem Gewissen beurteilen müssen.

Schuldempfinden hat sich verändert

Die Tatsache, dass viele Ehepartner in Trennungskonflikten Selbstzweifel, Unwertgefühle und Scham entwickeln, ist ein Indiz dafür, dass sie die Schuld am drohenden Scheitern ihrer Ehe keineswegs auf die leichte Schulter nehmen. Dagegen empfinden sie in der Regel keine Schuld gegenüber dem geschiedenen Ehepartner mehr, wenn sie *den* Schritt unternehmen, der aus kirchenrechtlicher Sicht unvergebbare Schuld begründen soll: wenn sie nach der Trennung eine zivile Zweitehe mit einem neuen Partner eingehen. Aus welchen Gründen die Wiederheirat auch erfolgt, sei es, weil eine

Frau oder ein Mann nicht alleine leben kann, sei es, weil jemand in der neuen Beziehung die tragende Lebensgemeinschaft erfährt, die ihm in der ersten Ehe versagt blieb, der Akt der zweiten Eheschließung wird von den meisten nicht als ein moralisch fragwürdiger, womöglich mit schwerer Schuld verbundener Schritt empfunden. Häufig ist es vielmehr so, dass die neuen Partner sich im Gewissen verpflichtet fühlen, zu der Verantwortung zu stehen, die ihnen aus ihrem Zusammenleben und aus der Sorge für gemeinsame Kinder erwachsen ist. Dabei ist nicht auszuschließen, dass einer der Partner in der zivilen Zweitehe das ernsthaft bereute Versagen in der ersten, kirchenrechtlich gültigen Ehe wiedergutmachen möchte. Dieser Wille zur Wiedergutmachung ist auch dann moralisch anzuerkennen, wenn die Wiederherstellung der ersten Ehe objektiv unmöglich geworden ist und die Wiedergutmachung den ersten Partner, an dem man schuldig wurde, nicht mehr unmittelbar erreichen kann.

Auch wenn es einem gläubigen Katholiken nicht gleichgültig sein sollte, dass er sein Verhältnis zur Kirche durch das Eingehen einer ungültigen Ehe belastet, so ist doch davon auszugehen, dass die zweite Eheschließung moralisch gerechtfertigt sein kann oder von den Partnern sogar als eine Gewissensverpflichtung empfunden wird, und dies keineswegs nur dann, wenn die Sorge für im gemeinsamen Haushalt mitlebende Kinder ein zusätzliches Motiv für die Eheschließung ist. Die zivile Zweitehe kann nämlich ungeachtet dessen, dass sie kirchenrechtlich ungültig ist, alle wesentlichen Elemente (Wille zur lebenslangen Treue, Bejahung ihrer Ausschließlichkeit, Bereitschaft zur umfassenden personalen Lebensgemeinschaft, Offenheit für Kinder) aufweisen, die nach kirchlichem Verständnis für eine Ehe konstitutiv sind. Deshalb kann eine ungültige Ehe, in der das gelebt wird, was das

Wesen einer Ehe ausmacht, nicht als Nicht-Ehe oder gar als Konkubinat bezeichnet werden, wie es früher im kirchlichen Sprachgebrauch üblich war.[10] Vielmehr ist davon auszugehen, dass in einer zivilen Zweitehe der verlässliche Wille zum Füreinander-Einstehen in guten und schlechten Tagen besteht, der, auch wenn er nicht mit einem sakramental gültigen Eheversprechen gleichzusetzen ist, eine feste personale Lebensgemeinschaft zwischen den Partnern schafft. Selbst in den Fällen, in denen die neue Verbindung durch ein Unrecht gegenüber dem früheren Partner zustande kam, ist nicht auszuschließen, dass in ihr durch die gemeinsame Lebensführung eine moralische Verbindlichkeit erwächst, die die Partner gegenseitig verpflichtet. Auch wenn jemand durch das Eingehen einer neuen Verbindung schwere Schuld gegenüber seinem ersten Ehepartner auf sich geladen hatte, kann er diese später bereuen und zu der begründeten Gewissensüberzeugung gelangen, dass die Fortsetzung dieser neuen Verbindung und ihre rechtliche Legitimation durch eine zivile Eheschließung moralisch geboten sind. Wenn die Partner einer solchen Zweitehe das miteinander leben, was von Eheleuten zu erwarten ist, kann ihr Zusammenleben subjektiv nicht als schwere Sünde gelten. Zur schweren Sünde wird das Zusammenleben in einer Zweitehe, die sich als verlässliche personale Lebensgemeinschaft bewährt, auch nicht durch den Umstand, dass die Partner miteinander in sexueller Gemeinschaft leben. Eine solche Annahme stünde in einem merkwürdigen Widerspruch zur Gewissenserfahrung der Betroffenen, die ein derartiges Urteil in aller Regel nicht nachvollziehen können. Zudem setzt sich diese Bewertung dem Verdacht aus, die sexuelle Begegnung von Mann und Frau zumindest unterschwellig als ein rechtfertigungsbedürftiges Übel anzusehen.

Die kanonistische Konstruktion, die angeblich zum Ausschluss wiederverheirateter Geschiedener von den Sakramenten zwingt, beurteilt deren Lage aus einer großen Distanz zu ihren tatsächlichen Lebensumständen. Die Annahme, durch ein weiterbestehendes Rechtsverhältnis an den früheren Partner gebunden zu sein, erscheint vielen wiederverheirateten Geschiedenen abstrakt und weltfremd, während sie die durch die zweite Eheschließung begründete Lebensgemeinschaft Tag für Tag als eine seit langem bewährte Realität erfahren. Die Qualifikation ihrer Lebenssituation als objektiver Zustand schwerer Sünde oder als fortgesetzter Ehebruch widerspricht aber nicht nur dem eigenen Erleben der Betroffenen, sie erweist sich bei näherer Betrachtung auch als theologisch fragwürdig, und dies in mehrfacher Hinsicht.

Mangelhaft ist bereits der kanonistische Ehebegriff als solcher, dessen einseitige Fixierung auf den sexuellen Vollzug der Ehe ein Relikt ihrer auf dem Konzil überwundenen, vertragsrechtlichen Sichtweise darstellt. In einer personal-ganzheitlichen Konzeption der Ehe als umfassender Lebensgemeinschaft kann dagegen auch der Vollzug der Ehe, der die durch den Ehekonsens zustande gekommene Verbindung zwischen den Ehegatten unauflösbar macht, nicht mehr auf den ersten Akt des ehelichen Beischlafes reduziert werden. Vielmehr meint der Vollzug der Ehe das umfassende gegenseitige Sich-Schenken und Füreinander-Eintreten, das die Eheleute sich im Eheversprechen dauerhaft zusagen. Wenn dieses Sich-Übereignen der Ehegatten nicht zustande kommt, kann die Ehe nicht als vollzogen gelten; ihr fehlt dann ein Wesenselement, das für die gegenwärtige Ehetheologie unverzichtbar ist.[11] Auch ist zu fragen, ob der „Tod" der Ehe nur durch das physische Lebensende eines Partners oder nicht auch durch ihre tatsächliche Zerrüttung eintreten kann.[12] In diesem Fall müsste der Geschlechtsverkehr mit dem neuen Partner nicht mehr als Ehebruch gegenüber dem ersten gewertet werden, da durch die Zerstörung der personalen Lebensgemeinschaft in der ersten Ehe auch das Recht zum sexuellen Vollzug dieser Gemeinschaft nicht mehr besteht.

Unzureichendes Sakramentenverständnis

Ein zweites, schwerwiegendes Problem liegt in dem unzureichenden Sakramentenverständnis, das der Identifikation von Ehevertrag und Sakrament zugrunde liegt.[13] Ein Sakrament ist ein wirksames Zeichen der Gnade Gottes; es dient der Erinnerung, der Vergegenwärtigung und der Vorwegnahme des göttlichen Heils, das in ihnen gefeiert wird. Die Theologie unterscheidet deshalb eine dreifache temporale Struktur, durch die ein Sakrament seine Wirkung entfaltet. Es ist ein erinnerndes Zeichen (*signum rememorativum*), das auf die Ursache des Heils, nämlich den Tod und die Auferstehung Christi, zurückweist; ferner ist es ein hinweisendes Zeichen (*signum demonstrativum*), das die Gnade gegenwärtig setzt, die durch Christi Leiden erwirkt wird; schließlich ist jedes Sakrament ein vorausdeutendes Zeichen (*signum prognosticum*), das die künftige Herrlichkeit vorwegnimmt.[14]

Wenn vom sakramentalen Eheband die Rede ist, durch das seit Jahren getrennt lebende Partner noch immer durch ein rechtliches Vertragsverhältnis verbunden sind, kommt die dreifache Zeitdimension, in der ein Sakrament seine Wirksamkeit entfaltet, nur noch durch die Erinnerung an das Vergangene zum Tragen. Die gegenwärtig setzende Kraft des sakramentalen Zeichens ist dagegen ebenso wie sein Verheißungscharakter erloschen, da die personale Lebensgemeinschaft zwischen den Ehegatten nicht mehr besteht und ihre Wiederaufnahme nach menschlichem Ermessen nicht mehr erhofft werden kann. Auch in dieser Residualform entfaltet das Sakrament, da es mit dem Ehevertrag und den daraus entstandenen lebenslangen Verpflichtungen der Ehepartner identifiziert wird, aber noch immer seine volle kirchenrechtliche Bindungswirkung. Diese besteht unvermindert fort, während die geistliche Kraft des Sakramentes als Quelle der Gnade und des Trostes erloschen ist. Dadurch verkehrt sich jedoch die Wirkung, die das Sakrament auf seine Empfänger ausübt, ins Gegenteil: Aus dem Zeichen der barmherzigen Nähe Gottes wird eine religiöse Sanktion, die einen gangbaren Ausweg dauerhaft verschließt. In Zeiten schwerer Erschütterungen, in denen sie in Gedanken das mögliche Scheitern der Ehe bereits vorwegnehmen können, erfahren viele Ehepartner das Band des sakramentalen Zeichens nicht mehr als eine lebendige Kraftquelle, aus der sie Hoffnung schöpfen. Vielmehr schwebt das Sakrament wie ein Damoklesschwert über ihnen, das sie an die ausweglose Situation erinnert, in die sie zu geraten drohen. Der theologische Sinn eines Sakramentes wird dadurch bis zur Unkenntlichkeit entstellt und pervertiert.

Reduzierte Rolle des Gewissens

Eine dritte Schwäche der Argumentation, nach der wiederverheiratete Geschiedene wegen des objektiven Widerspruchs, in dem sie zur kirchlichen Lebensordnung stehen, von den Sakramenten ausgeschlossen werden müssen, liegt in der reduzierten Rolle, die darin dem Gewissen zukommt. Seine Funktion beschränkt sich darauf, die Verletzung der vertraglichen Pflichten anzuerkennen, die sich aus dem fortbeste-

henden Rechtsverhältnis der ersten Ehe ergeben. Darüber hinaus spielt das Gewissen in diesem Begründungsmodell keine Rolle, weder bei der Bewertung der Gründe, die zum Scheitern der ersten Ehe führten, noch bei der Beurteilung, ob die zweite eheliche Gemeinschaft sich als verlässliche Grundlage des Zusammenlebens bewährt hat. Inwieweit beim Scheitern der ersten Ehe eigenes Versagen zu beklagen ist, und wieweit begangenes Unrecht und möglicherweise angerichteter Schaden inzwischen bereut und wiedergutgemacht wurden, ist für die moralische Bewertung der zivilen Zweitehe als Zustand schwerer Sünde bedeutungslos. Ob ein Partner schuldlos verlassen wurde oder ob er die Ehe brach, weil er eine jüngere, attraktive Frau kennengelernt hatte, macht keinen Unterschied, ebenso wenig spielt es eine Rolle, ob aus der zweiten Ehe Kinder hervorgingen, deren Erziehung eine gemeinsame Aufgabe der Eltern darstellt.
Die unterschiedslose Bewertung dieser verschiedenen Ausgangssituationen als objektiv schwere Sünde steht häufig in krassem Widerspruch dazu, wie die Betroffenen selbst ihre persönliche Schuld und Verantwortung vor ihrem Gewissen beurteilen. Besonders groß ist die Diskrepanz zwischen dem persönlichen Gewissensurteil und der kirchenrechtlichen (Ab-) Qualifikation der zivilen Zweitehe in den Fällen, in denen ein lediger Mann oder eine ledige Frau einen geschiedenen Partner heiratet, der schuldlos verlassen wurde. Wenn die neuen Partner ihr Zusammenleben durch eine zivile Eheschließung legalisieren wollen, geraten sie, ohne dass sie sich irgendeine persönliche Schuld vorwerfen könnten, in eine Lage, die angeblich auf irreversible Weise einen Zustand objektiver schwerer Schuld begründet. Dies ist umso unverständlicher, als der bislang unverheiratete Mann oder die bislang unverheiratete Frau dem zuvor verlassenen Partner und den Kindern aus der ersten Ehe

in einer schwierigen Lebenssituation zu Hilfe kommen. In moralischer Hinsicht hat dies etwas mit Anstand, Selbstverpflichtung und Verantwortungsgefühl, jedoch wenig oder genauer: gar nichts mit Schuld und Sünde zu tun. Wie aus moralisch achtenswerten Handlungsweisen ein Zustand schwerer Sünde entstehen soll, ist für die Betroffenen in ihrem Gewissen in keiner Weise ersichtlich. Die kirchenrechtliche Argumentation, die für den Ausschluss wiederverheirateter Geschiedener und aller in einer zivilen Zweitehe lebender Partner von den Sakramenten aufgeboten wird, übergeht nicht nur die originäre Kompetenz des Gewissens, was die letztverantwortliche Beurteilung persönlicher Lebensumstände anbelangt; sie wird auch der vom Lehramt selbst erhobenen Forderung nicht gerecht, verschiedene Situationen gut zu unterscheiden und differenziert zu beurteilen.[15]

Anmerkungen

1 Vgl. Papst Johannes Paul II., Apostolisches Schreiben „Familiaris consortio" vom 22. November 1981, Nr. 84, Abs. 4.

2 Einer der ersten, die diesen Vorschlag machten, war Joseph Ratzinger, Zur Frage nach der Unauflöslichkeit der Ehe. Bemerkungen zum dogmengeschichtlichen Befund und zu seiner gegenwärtigen Bedeutung, in: Franz Henrich, Volker Eid (Hrsg.), Ehe und Ehescheidung. Diskussionen unter Christen, München 1972, 35–52, mit dem Hinweis, dass diese Lösung „voll auf der Linie der kirchlichen Überlieferung" liege (ebd., 55).

3 Vgl. Andréa Belliger, Die wiederverheirateten Geschiedenen: Versuch eines neuen kirchenrechtlichen Lösungsansatzes, in: Intams Review 7 (2001) 194–212, bes. 205.

4 Vgl. Bernhard Häring, Ausweglos? Zur Pastoral bei Scheidung und Wiederverheiratung. Ein Plädoyer, Freiburg i. Br. 1989 und Rudolf Prokschi, Pastoral für wiederverheiratete Geschiedene. Ist ein neuer Anfang nach dem Beispiel der orthodoxen Kirche möglich?, in: Stimmen der Zeit 221 (2003) 531–545.

5 Vgl. Die Bischöfe der oberrheinischen Kirchenprovinz, Zur seelsorglichen Begleitung von Menschen aus zerbrochenen Ehen, Geschiedenen und wiederverheirateten Geschiedenen. Einführung, Hirtenwort, Grundsätze, Freiburg, Mainz, Rottenburg-Stuttgart 1993.

6 Zur näheren Begründung des Folgenden vgl. Eberhard Schockenhoff, Chancen zur Versöhnung? Die Kirche und die wiederverheirateten Geschiedenen, Freiburg i. Br. 2011.

7 Vgl. Gaudium et spes, Nr. 16 und Papst Johannes Paul II., Enzyklika Veritatis splendor, Nr. 57–60.

8 Vgl. dazu Andrea Burgk-Lempart, Wenn Wege sich trennen. Ehescheidung als theologische und kirchliche Herausforderung, Stuttgart 2010, 35–50.

9 Vgl. zum Folgenden Matthäus Kaiser, Geschieden und wiederverheiratet. Beurteilung der Ehen von Geschiedenen, die wieder heiraten, Regensburg 1983, 62 ff. und Markus Knapp, Glaube – Liebe – Ehe: ein theologischer Versuch in schwieriger Zeit, Würzburg 1999, 184 ff.

10 Mit dem kirchenrechtlichen Fachausdruck matrimonium invalidum (= ungültige Ehe) wird eine zivile Zweitehe noch immer als Ehe bezeichnet; auch der Begriff matrimonium nullum ist nicht mit „keine Ehe", sondern korrekterweise als „ungültige" Ehe zu übersetzen (vgl. Kaiser, Geschieden und wiederverheiratet [s. Anm. 10], 66).

11 Zu den kirchenrechtlichen Überlegungen, ob eine solche Ehe wie jede andere nicht-vollzogene Ehe wieder aufgelöst werden kann, vgl. Belliger, Die wiederverheirateten Geschiedenen (s. Anm. 4), 199.

12 Diese Frage stellte, wie aus dessen Antwort ersichtlich, offenbar bereits Pollentius gegenüber Augustinus. Dieser weist die Überlegung, mit dem Tod des Mannes, nach dem die Frau 1 Kor 7,39 zufolge wieder frei ist, könne auch der „spirituelle Tod" gemeint sein, den die Ehe durch den Ehebruch des Mannes erleidet, als absurde Annahme zurück. Vgl. Augustinus, De adulterinis coniugiis II, 2–3; Corpus scriptorum ecclesiasticorum latinorum 41, 383 f.

13 Vgl. Hartmut Zapp, Zur „Realdistinktion" von Ehevertrag und Sakrament, in: Andreas Weiß, Stefan Ihli (Hrsg.), Flexibilitas iuris canonici. Festschrift für Richard Puza zum 60. Geburtstag (Adnotationes in ius canonicum 28), Frankfurt a. M. 2003, 341–367.

14 Vgl. Thomas von Aquin, Summa theologiae III, 60, 3.

15 Vgl. Papst Johannes Paul II., Familiaris consortio (s. Anm. 1), Nr. 84.

Thomas Ruster

Alleinstellungsmerkmal Sakrament

Zur Entkoppelung von Natur, Vertrag und Sakrament

Christen, die nach einer Ehescheidung erneut heiraten, handeln erstens gegen das Wort Jesu Christi: „Was aber Gott verbunden hat, das darf der Mensch nicht trennen". Sie begehen Ehebruch, wie das erläuternde Wort Jesu unzweideutig feststellt (Mk 10,9–12). Sie leugnen die Treue Christi zu seiner Kirche, denn da nach Eph 5,21–32 der Bund der Ehe in der Bundesbeziehung Christi zu seiner Kirche gründet und diese abbildet, bedeutet die Aufkündigung der Ehe zugleich eine Absage an die Bundestreue Christi. Sie weisen also die von Gott gegebene Gnadengabe des Sakraments zurück.

Sie handeln zweitens gegen die Ordnung der Schöpfung, die der Vernunft im Naturrecht aufleuchtet und die das Lehramt der Kirche authentisch auslegt. Denn Gott hat Ehe und Familie als Form des Zusammenlebens von Mann und Frau in der Schöpfung begründet. Ehe und Familie sind die Keimzelle der gesellschaftlichen Ordnung. In ihr ist für das Wohl der Ehegatten und der Kinder am besten gesorgt. Ein vertieftes Nachdenken über das Wesen der Liebe kann überdies zeigen, dass Ausschließlichkeit und Unauflöslichkeit dem Wesen der Liebe entsprechen, denn jede wahre Liebe will Unbedingtheit und Ewigkeit. In der leiblich-seelischen Gemeinschaft der Liebe, Ehe genannt, erfüllt sich der Sinn menschlicher

Sexualität; dazu gehört wesentlich die Ausrichtung auf Nachkommenschaft.

Sie brechen drittens das von den Eheleuten selbst in Freiheit und Selbstbestimmung gegebene Versprechen, den Ehepartner anzunehmen und ihm treu zu bleiben in guten und in bösen Tagen, in Gesundheit und Krankheit und ihn zu lieben, zu achten und zu ehren, „bis der Tod uns scheidet". Juristisch gesprochen, machen sie sich des Vertragsbruchs schuldig. Wie könnte man ihnen gestatten, noch einmal ein solches Versprechen abzugeben, nachdem sie das erste bereits gebrochen haben?

Es ist diese hier in wenigen Worten wiedergegebene Ehelehre der katholischen Kirche, die überwunden werden muss, will man theologisch Raum schaffen für die Anerkennung der Ehen geschiedener Christen. Die Stärke dieser Lehre liegt in der Verbindung der drei genannten Elemente: Sakrament – Natur – Vertrag. Diese drei Elemente stützen sich gegenseitig, von welcher Seite aus man sie auch lesen mag: Das Sakrament beruht auf der natürlichen Institution und wird im freien Willensentschluss der Brautleute eingegangen. In ihrem Vertrag stimmen die Brautleute der Schöpfungsordnung zu, dieser Vertrag wird von Christus zur Würde eines Sakraments erhoben. Das Sakrament hebt die natürliche und vertragliche Dimension der Ehe auf eine höhere Stufe. Die Ehe ist mehr als eine gesellschaftlich akzeptierte Form des Zusammenlebens und auch mehr als eine Reproduktionsgemeinschaft, auch wenn sie schon auf der Ebene der natürlichen Ordnung dazu verhilft, der Sexualität den Charakter selbstbezüglicher Begierde zu nehmen. Sie ist eine Gnade, mit der Gott seinen Bundeswillen in einer konkreten Gestalt repräsentiert. Sie ist eine geistliche Wirklichkeit.

Der Jurist und Rechtshistoriker John Witte nennt das katholische Ehemodell, wie es im 13. Jahrhundert ausgebildet worden ist, „das Werk eines Genies“[1]. Das Geniale war eben die Zusammenführung der drei Dimensionen Sakrament, Natur und Vertrag. Es hat diesem Modell viele Jahrhunderte lang Plausibilität und Stabilität verliehen. Wenn sich heute aufgrund soziologischer Umwälzungen, veränderten Bindungsverhaltens etc. das Problem des Umgangs mit den wiederverheirateten Geschiedenen drängend in der Kirche stellt oder, anders gesagt: Wenn wir heute in einer ehefeindlichen Zeit zu leben gezwungen sind, die das Gelingen einer lebenslangen Beziehung vor ungeheure Herausforderungen stellt, dann muss theologisch gefragt werden, wie dieses Ehemodell zu einer zeitgemäßen Form weiterentwickelt werden kann. Dabei steht außer Frage, dass die Unauflöslichkeit der sakramentalen Ehe nicht aufgegeben werden kann. Die Kirche kann an Jesu klarem Wort in dieser Sache nicht vorbei. Und wenn sich auch Exegeten finden, die vielleicht mit guten Gründen in Frage stellen, ob Jesus damals eine normative, für alle Zeiten gültige Aussage treffen wollte, so können diese exegetischen Zweifel eine Kirche nicht anfechten, die die Offenbarung Gottes in Schrift und Tradition bezeugt sieht. Da die gesamte Tradition der katholischen Kirche aus den Worten Jesu die Unauflöslichkeit der Ehe gefolgert hat, so kann die Kirche diese Auslegung heute nicht revidieren, ohne in einen Widerspruch zu ihrem Verständnis der Offenbarung zu geraten. Und da sie mit Eph 5 die Ehe als Sakrament, das heißt als Gestalt der Realisierung von Gottes Bundestreue, versteht, so kann sie von dieser Auffassung nicht abrücken, ohne Gottes Bundestreue in Zweifel zu ziehen. Dies steht ihr aber nicht frei, wenn sie sich nicht selbst, die auf Gottes Bundestreue aufruht und wegen dieser besteht, aufgeben will.

Gefragt kann jedoch werden, ob die Kopplungen, die das katholische Ehemodell zwischen Sakrament und Vertrag einerseits sowie zwischen Sakrament und Natur (Schöpfungsordnung) andererseits vorsieht, aufrechterhalten werden müssen. Zu untersuchen ist damit:

1. Konstituiert jeder Ehevertrag zwischen Getauften unvermeidlich auch das Ehesakrament? Oder lassen sich nichtsakramentale Ehen zwischen Getauften denken, die nicht das Merkmal der Unauflöslichkeit haben?
2. Entspricht die sakramentale Ehe mit ihren Merkmalen Einheit und Unauflöslichkeit der Schöpfungs- bzw. der Naturordnung? Oder kann die Kirche auch andere Formen von Partnerbeziehungen anerkennen, die diese Merkmale nicht aufweisen?

Die beiden Fragen hängen insofern miteinander zusammen, als die traditionelle Ehelehre auch der Naturehe die Unauflöslichkeit zuerkannte. Der Ehevertrag würde demgemäß auch dann, wenn er nicht zu einer sakramentalen Ehe führt, eine unauflösliche Ehe begründen. Ließe sich aber zeigen, dass nicht alle Ehen natürlicherweise unauflösliche Beziehungen sein müssen, dann wäre der Weg frei für Ehen, die nicht sakramental und nicht unauflöslich sind.

Ich werde nachzuweisen versuchen, dass die Kopplungen zwischen Sakrament und Vertrag sowie zwischen sakramentaler und natürlicher Ehe aufgegeben werden können, ohne das Ehesakrament zu beeinträchtigen. Es bliebe dann das Ehesakrament allein, ohne diese Kopplungen, zurück. Die sakramentale Ehe wäre dann ein „Alleinstellungsmerkmal" der katholischen Kirche inmitten einer Fülle anderer Beziehungsformen. Dies hätte übrigens Folgen für die Form der Spendung des Ehesakraments, über die zu reden sein wird. Es bleibt dann noch zu fragen, wie die Kirche zu Christen steht, die vor oder nach der sakramentalen Ehe eine andere, nicht-sakramentale Form von Partnerschaft praktizieren.

1. Vertrag und Sakrament

Auf unsere erste Frage gibt der Canon 1055 § 2 des CIC von 1983 eine eindeutige, und zwar negative Antwort: Es kann „zwischen Getauften keinen gültigen Ehevertrag geben, ohne dass er zugleich Sakrament ist". Wenn eine getaufte Frau und ein getaufter Mann einen Ehevertrag miteinander schließen, dann wird dieser, wie der § 1 des gleichen Canons erklärt, von „Christus dem Herrn zur Würde eines Sakraments erhoben", ohne dass eine entsprechende Intention der Brautleute vorliegen muss. Die Probleme, die diese kanonische Festlegung heute mit sich bringt, liegen auf der Hand. Auch Brautleute, die zwar getauft sind, aber eine sakramentale Ehe samt ihren Konsequenzen im eigentlichen Sinne gar nicht beabsichtigen oder noch nicht einmal wissen, worum es sich dabei handelt, die sog. „getauften Ungläubigen" also, von denen es heute nicht wenige gibt, gehen eine sakramentale Ehe ein. Und was fast noch gravierender ist: Getaufte Christen aus Kirchengemeinschaften, die die Sakramentalität der Ehe ausdrücklich ablehnen, gehen nach katholischem Verständnis dennoch eine sakramentale Ehe ein, sofern die katholische Kirche die Taufe in diesen Gemeinschaften anerkennt. Es liegt eine bedenkliche Entwertung des Sakraments der Ehe in diesem Automatismus, nach welchem getaufte Eheleute das Sakrament gar nicht vermeiden können, auch wenn sie es nicht wollen. Das Sakrament und der Glaube, in dem das Sakrament doch nur wirksam werden kann, treten auseinander. Dieses Problem wird in der Theologie schon seit langem gesehen. Eugenio

Corecco (1931–1995), ehemals Professor für Kanonisches Recht in Fribourg und dann Bischof von Lugano, hat eine theologische Tradition ans Licht gehoben, nach der Vertrag und Sakrament zu unterscheiden sind und nicht automatisch zusammenkommen.[2] Diese Tradition ist, das sei vorweggesagt, in der Kirche niemals verurteilt worden; sie hat nur keinen Einfluss auf die kodifizierte Gestalt des Kirchenrechts im 20. Jahrhundert gewinnen können. Große Gelehrte wie Duns Scotus (1265–1308) und Cajetan de Vio (1469–1534) erklärten bereits, dass unter bestimmten Bedingungen zwar ein Ehevertrag, aber kein Sakrament zustande komme, nämlich im Fall der Eheschließung zwischen Stummen oder zwischen Abwesenden. Für das Zustandekommen des Ehesakraments sei die Erfüllung der kanonischen Form notwendig, die in diesen Fällen nicht gegeben sei. Ihre Auffassung konnte sich im Mittelalter nicht durchsetzen, weil sie den allgemeinen Gepflogenheiten widersprach. Sehr oft wurden Ehen ohne den Segen der Kirche geschlossen und vollzogen; es war nicht möglich, alle Ehen unter kirchlicher Assistenz zu schließen.[3] Es war dann der für die Theologie so einflussreiche Melchior Cano (1509–1560), der zum ersten Mal systematisch die These vertrat, dass bei Ehen ohne kirchliche Einsegnung zwar ein gültiger Ehevertrag aufgrund des Konsenses der Brautleute, aber kein Sakrament zustande komme. Für ihn war die priesterliche Einsegnung im Sinne der scholastischen Sakramentenlehre die Instrumentalursache des Sakraments. Im Rahmen der scholastischen Begrifflichkeit wies Cano darauf hin, dass ein bloßer Rechtsakt, die Erklärung des Konsenses, für ein Sakrament nicht ausreichend sein kann. Wie kann ein Sakrament gefeiert werden ohne Anrufung Gottes, ohne Herabrufung des Heiligen Geistes, ohne das Gebet der Gemeinde? Theologen des 16. und 17. Jahrhunderts wie Gabriel Vásquez (1549–1604) und Fernandus Rebellus (1545–1608) führten die Linie Canos fort, allerdings mit einer anderen Begründung. Für sie, die im Zusammenhang des sog. Gnadenstreites die molinistische Richtung vertraten, hat die menschliche Natur ihre Vollendung in sich selbst. Die Gnade ist nicht notwendig zur natürlichen Vollendung, sie tritt nur hinzu, wenn sie ausdrücklich intendiert wird. Bezogen auf die Ehe hieß das: Der Vertrag zwischen den Eheleuten begründet eine gültige, den Ansprüchen der Naturordnung genügende Ehe, das Sakrament kommt nur zustande, wenn es die Vertragspartner ausdrücklich intendieren. Die Frage wurde damals zum Beispiel diskutiert in Bezug auf die Menschen in den Missionsgebieten, die die Taufe erst nach ihrer Heirat erhalten haben: Wird dann durch die Taufe ihre Ehe automatisch Sakrament, oder müssen sie einen eigenen intentionalen Akt setzen, um das Sakrament zu erlangen? Kardinal Robert Bellarmin (1542–1621) nahm an, dass Christus den vertraglich geschlossenen Ehen durch einen eigenen Akt die Sakramentalität hinzufügt; eine spezielle Intention der Brautleute sei dazu nicht erforderlich. Damit war für ihn der Vertrag nie ohne Sakrament; die Sakramentalität kommt aber von außen, als der Natur nicht geschuldete und für ihre Vollendung nicht notwendige Zugabe hinzu („Extrinsezismus"). Die Einheit von Sakrament und Vertrag vertrat ebenfalls Francisco Suarez (1548–1617). Für ihn kann es im Raum der Kirche keinen gnadenfreien Bereich, das heißt keinen Bereich, in dem Christus nicht wirkt, geben. Wer getauft ist, tritt in das Reich der Gnade ein. Die Ehe ist infolgedessen in der Kirche immer ein Sakrament. Eheleute, die die Sakramentalität der Ehe irrtümlich ausschließen, erhalten sie trotzdem. Die, die sie bestimmt ausschließen, gehen gar keine Ehe ein. Denn nach der thomistischen Lehre, der Suarez in dieser

Hinsicht folgt, besteht die Naturordnung nach dem Sündenfall nicht ungebrochen fort. Sie wird nur durch die Gnade Christi wiederhergestellt. Wer die Sakramentalität der Ehe ausschließt, fällt nicht auf die Naturordnung zurück, sondern gewissermaßen ins Nichts.

Die Aktualität dieser vergangenen Kontroverse leuchtet leicht ein. Kann die Kirche Menschen ein Sakrament verordnen, die es gar nicht wollen? Muss nicht die subjektive Intention in Betracht gezogen werden? Andererseits: Wer getauft ist, gehört zur Kirche. In der Kirche besteht die Wirklichkeit und das Gesetz der Gnade, nicht das Gesetz der Natur. Kann es also Ehen zwischen Getauften geben, die nicht unter die Wirklichkeit der Gnade fallen? Gibt es in der Kirche gnadenfreie Räume?

Es haben sich in der Folge, so Corecco in seiner gelehrten Abhandlung, die Theologen durchgesetzt, die die Einheit von Vertrag und Sakrament vertraten, ganz so, wie es das geltende Kirchenrecht noch definiert. Die Gründe dafür sind vielfältig und nicht in erster Linie in der Theologie zu finden. Ausschlaggebend war unter anderem, dass Josephinismus und Gallikanismus, also Bewegungen, die die Kirche unter die Oberhoheit des Staates bringen wollten, sich auf die Auffassungen zur Trennbarkeit von Vertrag und Sakrament beriefen, um die Zivilehe zu legitimieren. Die Ehe wurde in ihrem Denken rein naturrechtlich aufgefasst, das Sakrament war eine religiöse Zugabe. Spätestens als mit der Französischen Revolution die obligatorische Zivilehe eingeführt wurde, beriefen sich die Päpste mehr und mehr auf die Linie Bellarmin – Suarez, um die Rechtshoheit der Kirche über die Ehe zu bewahren. Aber eine Verurteilung der anderen Auffassung wurde sorgsam vermieden! Die Vorbereitungskommission zum I. Vatikanischen Konzil, deren Vorlagen aufgrund des vorzeitigen Endes des Konzils dann nicht mehr in die Konzilsaula gelangten, votierte zwar klar für die Identität von Sakrament und Vertrag, schlug diese Lehre jedoch nicht zur Dogmatisierung vor. Corecco: „In der Tat ist es auch fraglich, ob das Prinzip der Identität zum Dogma erhoben werden könnte"[4], steht ihr doch nicht nur die Traditionslinie Scotus – Cajetan – Cano gegenüber, sondern auch die gesamte griechisch-orthodoxe Tradition, nach der der priesterliche Segen konstitutiv für das Ehesakrament ist. Dieses Urteil des bedeutenden Kanonisten ist umso bemerkenswerter, als er selbst sich uneingeschränkt für die Beibehaltung der Einheit von Sakrament und Vertrag ausspricht. Wie immer man sich also in dieser Frage theologisch entscheiden mag, fest steht, dass in der katholischen Kirche die Lehre vom Ehevertrag, der kein Sakrament ist, nicht verworfen worden ist und weiterhin zur Disposition steht. Für die Lösung des Problems des Umgangs mit den wiederverheirateten Geschiedenen ist dies von ausschlaggebender Bedeutung. Der genannte Can. 1055 § 2 könnte revidiert werden. Die Frage ist dann noch, ob jene Ehen, die nur Vertrag und nicht Sakrament sind, sich auch am göttlichen Gesetz auszurichten haben. Diese Frage ist auf der Grundlage des Rekurses auf die Schöpfungsordnung bzw. auf die sog. Naturehe zu klären.

2. Naturehe und Sakrament

Can. 1055 § 1 des CIC/1983 erklärt: „Der Ehebund, durch den Mann und Frau unter sich die Gemeinschaft des ganzen Lebens begründen, welche durch ihre natürliche Eigenart auf das Wohl der Ehegatten und auf die Zeugung und die Erziehung von Nachkommenschaft hingeordnet ist, wurde zwischen Getauften von Christus dem Herrn zur Würde eines Sakraments erhoben." Es ist also die Ehe in ihrer „natürlichen Eigenart", die sog. Naturehe, die dem Sakrament zugrunde liegt. Sie wird, was ihre natürliche Eigenart betrifft, als Vater-Mutter-Kind-Familie mit den Merkmalen der Einheit und Unauflöslichkeit („Gemeinschaft des ganzen Lebens") beschrieben. Nach der Lehre der Kirche ist es diese Art von Ehe und Familie, die auf dem Willen Gottes beruht und in der Schöpfung begründet worden ist. So erklärt der Katechismus der Katholischen Kirche: „Ein Mann und eine Frau, die miteinander verheiratet sind, bilden mit ihren Kindern eine Familie", und fügt hinzu: „Indem Gott Mann und Frau erschuf, hat er die menschliche Familie begründet und ihr eine Grundverfassung gegeben" (KKK 2202 f). Die Lehrverkündigung des Katechismus steht in der Tradition der kirchlichen Lehre zu Ehe und Familie, die in ihrem Kern immer gleich geblieben ist, die aber im 20. Jahrhundert angesichts des gesellschaftlichen Wandels mit besonderem Nachdruck wiederholt worden ist. So eröffnet Papst Pius XI. die Enzyklika „Casti connubii" (1931) über die christliche Ehe im Hinblick auf schon damals erkennbare „Irrtümer und Missbräuche" mit der Feststellung: „Die Ehe wurde nicht von Menschen eingesetzt oder erneuert, sondern von Gott"; sie wurde von Gott und Christus „durch Gesetze gefestigt, gestärkt und erhöht", und diese Gesetze „können daher keinen Beschlüssen von Menschen, keiner gegensätzlichen Übereinkunft – nicht einmal der Gatten selbst – unterworfen sein" (DH 3700). „Die Natur der Ehe [...] ist der Freiheit des Menschen völlig entzogen" (DH 3701). Verurteilt wird deswegen die Auffassung, „die Ehe sei nicht vom Urheber der Natur eingesetzt" und könne „nach menschlichem Belieben und den wechselnden menschlichen Umständen verfasst, geändert und abgeschafft werden. [...] Sich auf diese Grundlagen stützend, sind manche darauf verfallen, neue Arten von Verbindungen auszudenken, die, wie sie meinen, den gegenwärtigen Verhältnissen der Menschen und Zeiten angemessen seien, und von denen sie behaupten, sie seien ebenso viele neue Formen der Ehe: die eine auf Zeit, die andere auf Probe, wieder eine andere eine Freundschaftsehe [...]" (DH 3715). Solchen Auffassungen hält die Enzyklika den Schöpfungswillen Gottes entgegen, der in der Naturordnung, das heißt im Naturrecht, ausgedrückt ist. Dazu gehört grundlegend die Unauflöslichkeit der Ehe. Den „Förderern des Neuheidentums", die die Forderung nach dem Recht zur Scheidung und Wiederheirat erheben, wird Christi Wort „Was Gott verbunden hat, soll der Mensch nicht trennen" in Erinnerung gerufen, und dazu heißt es: „Und diese Worte Christi beziehen sich auf jedwede Ehe, auch die bloß natürliche und gesetzmäßige; jeder wahren Ehe kommt Unauflöslichkeit zu, durch die sie, was die Lösung des Bandes betrifft, dem Gutdünken der Parteien und jeder weltlichen Gewalt entzogen ist" (DH 3724).

„Gaudium et spes", die Pastoralkonstitution des II. Vatikanums, nimmt diese klassische Ehelehre der Sache nach wieder auf. Auch hier ist die Rede davon, dass die eheliche Liebe „ihrem Wesen nach auf die Zeugung und Erziehung von Nachkommenschaft ausgerichtet" ist, dass sie sich an der „Natur des Familienlebens" und „am göttlichen Gesetz" auszurichten habe (Nr. 50). Die Pastoralkonstitution weiß von „objektiven Kriterien, die sich aus dem Wesen der menschlichen Person und ihrer Akte ergeben" (Nr. 51).[5] Auch „Familiaris consortio", das Apostolische Schreiben Papst Johannes Paul II. über die Aufgaben der christlichen Familie in der Welt von heute vom 22. 1. 1980, hält an Einheit und Unauflöslichkeit als wesensmäßigen Eigenschaften jeder Ehe fest (Nr. 20). Es sei „für die Familie eine Notwendigkeit, auf den ‚Anfang' des göttlichen Schöpfungsaktes zurückzugehen, wenn sie nicht nur ihr Wesen, sondern auch ihr geschichtliches Handeln in seiner inneren Wahrheit erkennen und verwirklichen will" (Nr. 17).

Es ist also Lehre der Kirche, dass die Ehe in der Form der Vater-Mutter-Kind-Beziehung der Schöpfungsordnung entspricht und dass sie in ihrer natürlichen Eigenart bereits die Eigenschaft der Unauflöslichkeit hat. Das Problem ist nun, dass diese Form von Ehe und Familie in der heutigen Gesellschaft im Rückgang begriffen ist und sich tatsächlich, wie von Papst Pius XI. bereits ausgesprochen, „neue Arten von Verbindungen" ergeben haben, sei es, dass manche darauf verfallen sind, sie sich auszudenken, sei es, dass gesellschaftliche Zwänge sie hervorgebracht haben. Der Familienforscher Matthias Petzold hat nachgewiesen, dass die klassische Kleinfamilie längst nicht mehr die dominierende Form von Familie ist.[6] Längst gibt es zahlreiche andere Formen: Adoptivfamilien, Ein-Eltern-Familien, Fortsetzungsfamilien, Kommunen, Lebensabschnittspartnerschaften, Living-apart-together, nichteheliche Lebensgemeinschaften, Patchwork-Familien, Pflegefamilien, SOS-Kinderdorf-Familien, Wohngemeinschaften, Zweitfamilien, Zwei-Kern-Familien u. a. m. Petzold kommt in seiner Untersuchung auf sieben Hauptformen familialen Zusammenlebens. Sie reichen von der normalen Kernfamilie über Alleinstehende mit Orientierung an einem normativen Familienideal, gewollt oder ungewollt kinderlose Paare, nichteheliche Beziehungen mit Kindern mit und ohne Orientierung an der klassischen Norm bis zu verheirateten Paaren mit Kindern, aber ohne klassische Idealnorm. Petzolds Aufstellung lässt immer noch die durchgängige Orientierung an der klassischen Familiennorm für die meisten Beziehungen erkennen, aber die Beziehungsrealität widerspricht dieser Norm zunehmend mehr und wird es in Zukunft sicher immer mehr tun. Was soll die Kirche in dieser Lage tun? Folgt sie ihrem herkömmlichen schöpfungstheologischen und naturrechtlichen Ansatz, müsste sie die meisten der heute gelebten Formen von Partnerbeziehungen und Familie verwerfen. Sie müsste eine zunehmende Abweichung von der Schöpfungsordnung feststellen. Sie könnte darauf hinweisen, wie es Pius XI. getan hat, dass Irrtum, Missbrauch und neuheidnische Vorstellungen um sich greifen; in vielen Punkten hätte sie damit Recht. Andererseits würde es ihr dann schwerfallen, sich zu den neuen Beziehungsformen in ein konstruktives Verhältnis zu setzen, die ja auch innerhalb der Kirche schon reichlich verbreitet sind. So steht denn diese schöpfungstheologisch fundierte Lehre von der natürlichen Ehe heute zur Revision an. Ist das naturrechtliche Paradigma, das dieser Lehre zugrunde liegt, für die Kirche unaufgebbar? Dass dies nicht so ist, zeigt sich schon an der Tatsache, dass in neueren kirchlichen Dokumenten zu Ehe und Familie der naturrechtliche Ansatz deutlich zurückgenommen wird, es überwiegt das personale Denken. Ein weiteres Indiz ist darin zu sehen, dass theologische Aussagen zur Unauflöslichkeit neuerdings weniger aus dem Naturrecht als aus der Eigenart der Liebes- und Paarbeziehung heraus argumentieren. Die Liebe an sich verlange Verlässlichkeit, ungeteilte Hingabe und Treue; an die Stelle des Naturrechts ist eine Art Beziehungsontologie getreten.[7] Allgemein wird man sicher sagen können, dass das naturrechtliche Denken an Überzeugungskraft eingebüßt hat. Das Festhalten an einer von Anfang an bestehenden Ordnung des Familienlebens hat etwas von dem Kampf der Kreationisten

gegen die Evolutionstheorie an sich; tatsächlich hat eine Evolution von Beziehungsformen in der Gesellschaft stattgefunden, die zu bekämpfen aussichtslos zu sein scheint. Und ist dies die Aufgabe der Kirche?
Es stellt sich in diesem Zusammenhang auch die Frage, was es bedeutet, dass Ehe und Familie im biblischen Israel weithin nicht den Normen der Naturehe entsprachen. „Familiaris consortio" verurteilt nachdrücklich die Polygamie: „Sie leugnet in direkter Weise den Plan Gottes, wie er am Anfang offenbart wurde" (Nr. 19). Die Ehen der Patriarchen aber waren polygam, ebenso wie die Davids und Salomos und vieler anderer biblischer Persönlichkeiten. Wie ist es zu erklären, dass jene von Anfang an bestehende Ordnung schon in Israel nicht eingehalten wurde? Bei dem Dogmatiker Leo Scheffczyk findet sich der Hinweis, dass in der „fortlaufenden Geschichte [des jüdischen Volkes], ohne daß die Schöpfungsordnung der Ehe aufgegeben wurde, etwas von Tragik und Verfall erkennbar wird", und er führt die Polygamie als Beleg dafür an.[8] Es bleibt aber ein schwer erklärbares Faktum, warum die Schöpfungsordnung schon in Gottes Volk Israel in Verfall geraten sein soll. Kann es sein, dass die Lehre von der Naturehe biblisch gar nicht gedeckt ist?

3. Das Sakrament im Alleinstand

Die Entkoppelung der sakramentalen Ehe von der Ehe als Vertragsgemeinschaft einerseits und der normativen Vorstellung der Naturehe andererseits bedeutet eine Revolution für die kirchliche Ehelehre. Doch sie ist, so scheint mir, die unerlässliche Voraussetzung dafür, in der festgefahrenen Frage nach dem Umgang mit den wiederverheirateten Geschiedenen Lösungen zu finden. Die erste Konsequenz aus dieser Entkoppelung wäre, dass es in der Kirche gültige Ehen geben kann, die kein Sakrament sind. Dies ergibt sich aus der oben aufgewiesenen Linie Scotus – Cajetan – Cano, die in der Kirche Heimatrecht hat. Eine weitere Konsequenz wäre, dass die Kirche ihre Lehrhoheit über nichtsakramentale Formen des Zusammenlebens von Mann und Frau aufgeben könnte. Sie müsste sie nicht mehr an der Norm des Naturrechts messen, sie könnte die Idee einer in der Schöpfung grundgelegten Ordnung der Ehe überhaupt aufgeben und die vielen neuen Formen geschlechtlicher Partnerschaft einfach das sein lassen, was sie sind: tastende, teils unausgegorene, teils schon bewährte Versuche, die Institution der Ehe den gewandelten gesellschaftlichen Verhältnissen anzupassen. Die Kirche bräuchte den Leuten nicht mehr zu sagen, dass ihre Lebensform von ihrem Wesen her die Eigenschaften der Einheit und der Unauflöslichkeit haben; sie bräuchte nicht mehr, wie noch Papst Pius XII. in „Casti connubii", von dem Bruch mit dem „Gesetz Gottes und der Natur" und dem „Makel einer schweren Schuld" zu sprechen (DH 3717).

Es stellt sich dann die Frage, wie sich jene anderen Formen von Ehe und Familie zur sakramentalen Ehe verhalten. Äußert ein Paar den Wunsch, eine sakramentale Ehe einzugehen, so tritt es erst in diesem Augenblick in den Bereich kirchlicher und kirchenrechtlicher Beurteilung ein. Es hat vielleicht vorher schon ein längeres Zusammenleben mit demselben oder anderen Partnern oder auch eine zivilrechtliche Ehe gegeben, aber das bleibt für die Kirche außer Betracht. Es fällt nicht in ihre Beurteilungskompetenz; sie hat keinen Maßstab, um darüber zu urteilen. Vergleichbares gilt auch für die Beziehungen, die nach einer gescheiterten sakramentalen Ehe eingegangen werden. Wichtig ist, dass eine auf dem

Standesamt geschlossene Ehe geschiedener Christen nicht als der – allerdings unmögliche – Versuch gewertet werden muss, erneut eine sakramentale Ehe einzugehen. Denn nicht jede Ehe unter Christen ist ein Sakrament! Die neuen Beziehungen nach der Scheidung sind zunächst einfach nur irgendetwas, sie fallen nicht unter die normative Beurteilung der Kirche. An die Stelle normativ-theologischer und kirchenrechtlicher Betrachtung treten die Begleitung der betroffenen Paare in der Gemeinde, die Aufarbeitung ihrer Geschichte des Scheiterns, die Suche nach Versöhnung der Geschiedenen. Das alles kann und sollte im Raum der Kirche stattfinden, ohne die Exklusion, die heute die wiederverheirateten Geschiedenen betrifft.

Es bleibt das bedrängende Problem, ob und wie eine neue Ehe nach dem Zerbrechen einer sakramentalen, unauflöslichen Ehe akzeptiert werden kann. Dazu ist genauer zu klären, was Unauflöslichkeit bzw. die Lehre vom unzerstörbaren Eheband eigentlich bedeutet.[9] Grundsätzlich ist wohl zu sagen: Eine Ehe kann nur unauflöslich sein, wenn sie unauflöslich ist, das heißt, wenn die Partner in allen Krisen und Anfechtungen wissen, dass ihre Gemeinschaft nicht zerstört werden kann. In diesem Sinne kommt die Unauflöslichkeit in strengem Sinne nur der sakramentalen Ehe zu, die auf der unauflöslichen Treue Jesu Christi zu seiner Kirche fußt und deren Abbild ist. Aber auch eine solche Ehe kann scheitern. Bedeutet das aber schon das Zerreißen des Ehebandes? Aus der modernen Familienforschung stammt der Satz: „Eine Scheidung löst eine Familie nicht auf“[10]. In vielfältiger Weise besteht die frühere Beziehung fort. Dies kommt, recht verstanden, mit der Lehre des Augustinus überein, dass nach der Scheidung ein „quiddam coniugale“, ein „gewisses eheähnliches Verhältnis“ zwischen den Partnern zurückbleibt. Das

Eheband besteht fort, aber nur „zum Schaden der Schuld, nicht zum Band des neuen Bündnisses."[11] Tatsächlich ist die neue Beziehung nach der Scheidung in der Regel mit besonderen Schwierigkeiten belastet, stellt sie doch gegenüber der Erstfamilie ein offenes System dar, das die Auswirkungen der früheren Beziehung zu verarbeiten hat.[12] Für die kirchliche Bewertung ist vor allem wichtig: Es ist eine Beziehung eigener Art, eine andere Beziehung als in der Erstfamilie; sie tritt nicht in unmittelbare Konkurrenz zur ersten Ehe, sondern tritt gleichsam neben sie. Auf der Grundlage solcher Erkenntnisse und Überlegungen ist es möglich, von der Unauflöslichkeit geschiedener Ehen zu sprechen und zugleich zuzulassen, dass nach der Scheidung irgendetwas anderes, nämlich eine andere Beziehung, besteht.

4. Zur Form der Spendung des Ehesakraments

Die katholische Kirche hat in diesen Zeiten etwas Einmaliges und Kostbares anzubieten: das Sakrament der Ehe. Es braucht nicht mehr mit der Ehe im Allgemeinen („Naturehe") und nicht mehr mit dem zivilrechtlichen Ehevertrag in Verbindung gebracht werden. Es ist ein „Alleinstellungsmerkmal", dessen Bedeutung im Beziehungschaos unserer Tage herausgestellt werden sollte, allen ehefeindlichen Mächten zum Trotz. Bei der Feier des Ehesakraments sollte dies zum Ausdruck kommen. Setzt man die Entkoppelung zwischen Vertrag und Sakrament voraus, dann kann die alte Lehre, nach der sich die Eheleute das Sakrament gegenseitig spenden (einfach dadurch, dass sie den Ehekonsens in verbindlicher Form erklären), keinen Bestand mehr haben. Seit Melchior Cano ist die Auffassung einschlägig, dass zur Feier des Ehesakraments der liturgische

Ritus und die Einsegnung durch den Priester (oder eine andere damit beauftragte Person) gehören. Darin sind sich heute, so weit ich sehe, praktisch alle Liturgiewissenschaftler und auch viele Dogmatiker und Kirchenrechtler einig.[13] Richard Meßner formuliert: „Nicht die Eheleute ‚spenden sich gegenseitig das Sakrament', wie vielfach behauptet wird, sondern Gott ist es, der ihnen durch seinen Segen [...] die Möglichkeit schöpfungsgemäßer Existenz in der ehelichen Gemeinschaft eröffnet."[14] August Jilek zieht die Parallele zum Sakrament der Weihe. So wie dort die Bereitschaft des Kandidaten nur die Voraussetzung ist zum Empfang der Weihe, so kann auch bei der Ehe die Konsenserklärung der Brautleute nur die Voraussetzung, nicht schon der Vollzug des Sakraments sein. Zur Feier des Sakraments gehören bei der Weihe wie bei der Ehe das Gebet und die Zustimmung der anwesenden Gemeinde sowie das Weihe- bzw. Brautleutegebet, in welchem Gott gebeten wird, seine Gnade zu dem zu geben, was von Seiten der Menschen aus geschehen soll. Der Konsens der Brautleute wird in das Licht des göttlichen Segens gestellt. Eine Trauliturgie, in deren Zentrum nicht ein rechtlicher Akt, sondern das Gebet um den Segen Gottes und die Freude über seine Gewährung steht, würde ein andere Form haben als die heute übliche; manche Schätze der alten Brautleutegebete würden wiederentdeckt werden können.

So zeigt sich: Die Frage nach dem Umgang mit den wiederverheirateten Geschiedenen ist nicht nur ein belastendes Thema in der Kirche Gottes. Es handelt sich nicht darum, unter dem Druck der Verhältnisse etwas von der Substanz des Ehesakraments preiszugeben. Was das Sakrament ist und welche Gnade in ihm gegeben ist, das kann vielmehr, befreit von den Bindungen an eine frühere Gesellschaftsordnung, neu aufleuchten. Die Kirche ist dabei, einen kostbaren Schatz zu finden.

Anmerkungen

1 John Witte, Vom Vertrag zum Sakrament. Ehe, Religion und Recht in der abendländischen Tradition, Gütersloh 2008 (Öffentliche Theologie Bd. 15, hg. von Wolfgang Huber u. a.), 45.

2 E. Corecco, Die Lehre von der Untrennbarkeit des Ehevertrags vom Sakrament im Lichte des scholastischen Prinzips „Gratia perficit, non destruit naturam", in: Archiv für kath. Kirchenrecht 143 (1974) 379–442; danach das Folgende. Vgl. auch R. Puza, Kirchenrecht – Theologie – Liturgie. Kanonistische Überlegungen zur Identität von Ehevertrag und Ehesakrament sowie zum „Spender" des Ehesakramentes, in: Eheschließung – mehr als ein rechtlich Ding?, hg. von K. Richter, Freiburg 1989 (QD 120), 62–83, der sich die Ausführungen Coreccos zu eigen macht.

3 Vgl. Witte, Sakrament, 43.

4 Corecco, Lehre, 421.

5 Hervorhebungen Th. R.

6 Vgl. M. Petzold, Familien heute. Sieben Typen familialen Zusammenlebens, München 2002.

7 Beispielhaft: D. Schwaderlapp, Für immer ja. Ein Kurs in Sachen Liebe, München 2007.

8 L. Scheffczyk, Zur Theologie der Ehe, Abensberg o. J., 25.

9 Ich muss mich hier auf Andeutungen beschränken und verweise auf das im Frühjahr 2013 erscheinende, zusammen mit Heidi Ruster verfasste Buch „Unauflöslichkeit und zweite Ehe. Ein Lösungsversuch aus Beratung und Theologie" (Kösel Verlag).

10 W. Fthenakis u. a., Die Familie nach der Familie. Wissen und Hilfen bei Elterntrennung und neuen Beziehungen, hg. von der Helmut Mader Stiftung, München 2008, 302.

11 Augustinus, De nuptiis et concupiscentia / Ehe und Begierlichkeit, X,11; dt. Ausgabe in: Sankt Augustinus, der Lehrer der Gnade, hg. von A. Zumkeller u. a., Bd. 3, Würzburg 1977, 87.

12 Vgl. V. Krähenbühl u. a., Stieffamilien. Struktur – Entwicklung – Therapie, Freiburg ^{3}1991.

13 Vgl. die Beiträge in: Eheschließung – mehr als ein rechtlich Ding (Fußnote 2).

14 R. Meßner, Einführung in die Liturgiewissenschaft, Paderborn u. a. 2001, 380.

Otto Hermann Pesch

Ehescheidung und Wiederheirat in systematisch-theologischer Sicht[1]

1. Lehre und Praxis der Kirche(n)

Nicht der geringste Zweifel kann darüber aufkommen, dass nach den Worten Jesu und des Neuen Testamentes Ehescheidung, Auflösung einer Ehe und entsprechend eine neue Ehe gegen Gottes Gebot sind (Mt 5,32; Mk 10,11 f.; Lk 16,18; 1 Kor 7,10 f.). Bei Paulus will man sogar schon eine gewisse Tendenz festgestellt haben, dieses Verbot in eine rechtliche Form zu gießen. Die prinzipielle Unauflösbarkeit der Ehe war in der alten Kirche fast das einzige Merkmal, durch das sich christliche von heidnischen Ehen unterschieden. Denn der Satz des römischen Rechtes: *consensus facit nuptias* bedeutet ursprünglich, im Gegensatz zur späteren kirchlichen Übernahme: Die Ehe dauert so lange, wie der Konsens besteht! Für Christen aber kam auch ganz ohne rechtliche Kompetenz der Kirche eine von der Kirche anerkannte neue Ehe in aller Regel nicht in Frage, im Gegenteil: Ehescheidung war Ehebruch, dieser ist „Kapitalsünde" und zog die strenge große Kirchenbuße nach sich. Freilich kennt die alte Kirche im Anschluss an Paulus (1 Kor 7,12–16) „Härtefälle", die sogar mit kirchlicher Zustimmung zu einer neuen Eheschließung gelöst wurden.

Die katholische Westkirche ist die einzige christliche Kirche, die sich verpflichtet gesehen hat, aus dem *Gebot* Gottes und Jesu, die Ehen nicht zu scheiden, ein *Gesetz* zu machen, das mit Sanktionen gegen diejenigen bewehrt ist, die ihm zuwiderhandeln und eine neue Ehe eingehen: Ausschluss von den Sakramenten, also faktische (nicht: rechtliche) Exkommunikation – ausgenommen die utopische Bereitschaft, „wie Bruder und Schwester" zusammenzuleben.

Die Ostkirche ist bei der altkirchlichen Praxis geblieben, von der Westkirche bewusst nicht verurteilt – wobei der „Härtefall" ursprünglich nicht jeder Fall von „zerrütteter Ehe", sondern der Fall des Ehebruchs von Seiten eines Partners war. Man fühlt sich dazu berechtigt durch die – heute exegetisch umstrittene, weil nur bei Matthäus sich findende – „Unzuchtsklausel" (Mt 5,32). Dasselbe gilt für Luther – wohingegen eine zerrüttete Ehe (ein „bitteres Weib", ein „wüster, wilder, unerträglicher Mann") als von Gott zugeschicktes Kreuz ebenso zu ertragen ist wie ein kranker Ehepartner, dem man dienen muss, statt davonzulaufen.[2]

Heute geht die Ostkirche durchaus über die altkirchliche Einschränkung hinaus. Die evangelischen Kirchen, die die Ehe ohnehin aus der rechtlichen kirchlichen Zuständigkeit herausgenommen haben, betrachten Jesu Gebot eben als *Gebot*, dessen Übertretung Versagen vor Gott ist, aber, wie alle Sünde, auf Vergebung hoffen darf, die in diesem Fall logischerweise auch eine neue Ehe einschließen kann. Sie überlassen also Gott das Urteil über die Gewissen, segnen auch neue Ehen Geschiedener ein und schließen sie selbstverständlich nicht vom Abendmahl aus. Katholiken sollten wissen, dass dies nicht leichtfertig geschieht, sondern nach ernsthaften Gesprächen mit den Seelsorgern. Zudem sucht man im Zusammenhang mit der Wiederentdeckung der Beichte nach Wegen, die Liturgie für solche Wieder-Trauung so zu gestalten, dass darin auch Elemente eines Bußgottesdienstes, jedenfalls die Bitte um Vergebung für das Scheitern der früheren Ehe vorkommen.

Die katholisch-westkirchliche Lehre und Praxis beruht auf dem sich durchsetzenden Missverständnis des Augustinuswortes vom „Sakrament“ als dem dritten Gut der Ehe: Zu den beiden Gütern der Nachkommenschaft und der Treue tritt die Heiligkeit des Sakramentes.
Die Ehe ist nicht „Sakrament“, weil sie unauflöslich ist, sondern sie ist unauflöslich, weil sie „Sakrament“ ist – „Sakrament“ jetzt im festgelegten Sinne des Begriffs. Denn eine auflösbare Ehe ist ja nicht geeignet, den Inhalt der Sakramentalität, das unscheidbare Verhältnis Christi zu seiner Kirche, darzustellen. Das Eheband ist so wenig zerreißbar, wie der „Charakter“ der Taufe und der Priesterweihe verlorengehen kann. Man spricht im Blick darauf von einer „Ontologisierung“ des Ehebandes – und eine „ontologische“ Wirklichkeit kann man ja nicht auflösen.

2. „Systemkonforme“ Hilfe

Auch in der katholischen Kirche gilt der Satz von Bertolt Brecht: „Doch die Verhältnisse, sie sind nicht so.“ Katholiken scheitern in ihren Ehen genauso wie andere Menschen. Und sie lassen sich gegebenenfalls zivilrechtlich scheiden im vollen Bewusstsein, dafür nie die Anerkennung der Kirche erhalten zu können. Doch im Rahmen der durchgehaltenen Lehre bietet die Kirche eine geradezu breite Palette von Hilfsmöglichkeiten an, um nicht zu sagen: ein Angebot von Schlupflöchern.
Die erste Hilfsmöglichkeit ist biblischen Ursprungs: das so genannte *Privilegium Paulinum*. Im Anschluss an 1 Kor 7,12–16 kann eine Ehe „dem Bande nach“ geschieden werden, wenn in einer Ehe von Nicht-Gläubigen, einer sogenannten „Natur-Ehe“, der eine Partner katholischer Christ wird und der andere

Partner daraufhin die Ehe nicht fortsetzen will. In diesem Fall wird die erste Ehe durch eine neue Eheschließung automatisch geschieden.

In Erweiterung des *Privilegium Paulinum* kann eine Natur-Ehe dem Bande nach geschieden werden *in favorem fidei*, „zu Gunsten des Glaubens". Dies ist das so genannte *Privilegium Petrinum.* Es besagt: Auch eine Natur-Ehe kann durch den Papst „zu Gunsten des [wahren] Glaubens" geschieden werden, wenn das „Seelenheil" eines der Partner oder gar des in Aussicht genommenen neuen Partners dazu rät. Damit mit diesem „Privileg" nicht leichtfertiger Unfug getrieben wird, ist seine Anwendung einem Gnadenakt des Papstes vorbehalten – daher *Privilegium Petrinum.*[3]

Von solcher „Scheidung dem Bande nach" streng zu unterscheiden ist die Feststellung der „Nichtigkeit" („Nullität") einer Ehe unter Katholiken. Diese kann einerseits festgestellt werden, wenn die Ehe zwar geschlossen, aber noch nicht vollzogen worden ist. Zum anderen, wenn ein so genannter „Konsensmangel" vorliegt, das heißt: wenn das Brautpaar mit Vorbehalten gegenüber dem katholischen Verständnis von der Ehe sich hat trauen lassen und diese Vorbehalte bewiesen werden können. In der Mehrzahl der Fälle handelt es sich um Vorbehalte gegenüber der Unauflösbarkeit der Ehe und/oder um den bewussten Ausschluss von Kindern. Da nach der Zustimmung zum katholischen Eheverständnis beim Traungsgespräch (früher sagte man: „Brautexamen") mit dem zuständigen Pfarrer ausdrücklich gefragt wird, ist ein „Konsensmangel", gar ein später beweisbarer, nur um den Preis von Lüge und Täuschung des Pfarrers herbeizuführen.

Die Feststellung der „Nullität" einer Ehe – also die Feststellung, dass die beiden, äußerem Anschein zum Trotz, überhaupt nicht verheiratet waren – geschieht durch einen „Ehe-Nichtigkeitsprozess“ zunächst vor dem „Ehegericht“ der Diözese. Das Urteil muss aber wegen der Wichtigkeit der Sache in jedem Falle durch eine jeweils zuständige zweite Instanz, die genau festgelegt ist; im Grenzfall, bei weiterem Zweifel des *defensor vinculi*, des Verteidigers des Ehebandes (vergleichbar dem Staatsanwalt), durch die dritte Instanz, die *Sancta Romana Rota*, das höchste kirchliche Ehegericht in Rom.

Zur Ehre der Kirchenrechtler und der „Offiziale“, der kirchlichen Eherichter, muss gesagt werden: In aller Regel nutzen sie die letzten juristischen Möglichkeiten, den betroffenen gescheiterten Ehepaaren zu helfen, ohne die der kirchlichen Lehre entsprechenden Rechtsbestimmungen in Frage zu stellen.

Dennoch: Allein schon die oft hochnotpeinlichen, bis in die Intimsphäre vordringenden Fragen der Eherichter, von denen Betroffene berichten, lassen Fragen aufkommen. Die größte Unerträglichkeit des geltenden „Systems“ besteht darin: Bei genügend kirchenrechtlicher Kenntnis lässt sich – um den Preis von Lüge und Täuschung! – die Nullität der Ehe vorsorglich selbst einplanen. Einer der Partner oder beide müssen (zum Beispiel) nur vor der Trauung einem guten Freund erklären: „Wenn es nicht klappt, werden wir uns doch nicht das Leben zur Hölle machen. Dann lassen wir uns lieber scheiden!“ Der Freund berichtet das im Prozess – und der „Konsensmangel“, der Vorbehalt gegen die Unauflösbarkeit der Ehe, ist bewiesen! Auch hindert nichts, dass ein Paar eventuell beiderseits nach einer oder gar zwei gescheiterten standesamtlichen Ehen mit aller Festlichkeit kirchlich heiraten – sie waren ja kirchlich gesehen unverheiratet!

Außerdem ist die Handhabung des *Privilegium Petrinum* schon lange immer „großzügiger“ geworden. *In favorem fidei* genügt gegebenenfalls die Spende einer größeren Geldsumme zum Bau einer Kirche.

Soll das dabei bleiben: Die armen Ahnungslosen fallen in alle Netze des Kirchenrechts, und der Clevere und kirchenrechtlich Informierte kann alles durchsetzen?
Das führt mich zu einigen freimütigen Thesen.

3. In favorem hominum – „zu Gunsten der Menschen"

(1) Keine Konzession an zynische Treulosigkeit! Keine Konzession an einen Zeitgeist, dem zufolge – nicht zuletzt unter dem Eindruck des Starkultes in den Medien – ein Mann und/oder eine Frau schon fast als irgendwie zurückgeblieben erscheinen können, wenn er/sie nicht wenigstens einmal geschieden ist. Auf die kirchliche Verkündigung darf hier auch nicht der Schatten eines Verdachts fallen, sie knicke vor dem Zeitgeist ein zu Lasten des Willens und der den Bund der Ehe tragenden Liebe Gottes.

(2) Die aus – durchaus nachvollziehbaren – Gründen einstmals eingeführte Formpflicht und erst recht die damit verbundenen Sanktionen sind von der verbindlichen kirchlichen Lehre über die Ehe als Sakrament her (Konzil von Trient!) nicht zwingend und dürfen daher nicht zu kirchlicher Unbarmherzigkeit gegenüber gescheiterten Ehen und Menschen aus gescheiterten Ehen führen – zumal diese Sanktionen, wie gezeigt, geschickt umgangen werden können.

(3) Wenn das Sakrament die Unscheidbarkeit der Ehe begründet, dieses Sakrament aber im gläubigen Leben in der Ehe besteht, wenn also, mit anderen Worten, das im Glauben angenommene *Leben in der Ehe das sakramentale Zeichen* ist,

dann kann die Unscheidbarkeit der Ehe sich nur dadurch ergeben, dass die Ehe wirklich eine Ehe wird. Die Ehe ist aus sich selbst heraus unscheidbar, oder sie ist keine Ehe, jedenfalls keine sakramentale.

(4) Daraus folgt: Für die menschliche und darin sakramentale Wirklichkeit der Ehe kann die Unscheidbarkeit von der Sache her kein äußerlich erzwingbarer und sanktionierter *Rechtssatz* sein, sondern tatsächlich, wie bei Jesus, ein im Gewissen treffendes *Gebot.* Wohlgemerkt: nicht eine ideale „Zielvorstellung“ oder gar eine Utopie, sondern das hier und jetzt zu befolgende Gebot Gottes und Jesu Christi!

(5) Wer dennoch die Unauflösbarkeit der Ehe als durchsetzbaren Rechtssatz verstehen will, muss konsequent innere Akte – Zustimmung, Konsens, Liebe – zu Rechtsfaktoren machen. Das Kirchenrecht geht, um diesem Problem zu entgehen, von der Rechtsvermutung („Präsumption“) aus, dass äußeres Tun (bei der Trauung) und innere Akte übereinstimmen, solange nicht das Gegenteil bewiesen werden kann (can. 1060 CIC). Also rechnen Kirchenrechtler mit faktisch ungültigen Ehen („Putativehen“, can. 1061), deren Ungültigkeit nicht beweisbar ist oder faktisch nicht bekannt wird. Welchen Sinn kann aber dann noch eine rechtliche Kontrolle der Unauflösbarkeit der Ehe haben?

(6) Das Recht kann also niemals von außen garantieren, dass eine Ehe wirklich eine von innen her unscheidbare Ehe wird. Es kann nur mit seinen Mitteln den „Entwurf“ einer Ehe (Dietmar Mieth) unterstützen. Zum Beispiel auch durch die verpflichtende Öffentlichkeit der Eheschließung, die im Konfliktfall vielleicht doch dazu beiträgt, nicht gleich wegzulau-

fen, sondern noch einmal innezuhalten und einen neuen Anfang zu wagen.

(7) Konsequenz: Formpflicht – ja!, als kirchliche Ausdrücklichkeit und Öffentlichkeit der Ehe in der Kirche. Aber als *Segnung* der geschlossenen Ehe und nur im Grenzfall – bei unakzeptablen staatlichen Einschränkungen – auch als Möglichkeit der Ehe*schließung*.

(8) Damit wäre der Weg frei, die nie verurteilte Praxis der Ostkirche zu übernehmen und im „Härtefall", also bei heillos zerrütteter Beziehung, Gott das Urteil zu überlassen und barmherzig einen Neuanfang in der Kirche zu ermöglichen. Die Ostkirche beweist, dass dies möglich ist unter ausdrücklicher Anerkennung der Ehe als Sakrament. Mit der Praxis der evangelischen Kirchen würde dann erst gar kein Problem mehr entstehen.
Und keine geschiedenen und wiederverheirateten Christinnen und Christen müssten sich als „öffentliche Sünder" betrachten, die im „Konkubinat", in „wilder Ehe", leben, obwohl sie, wie es unter dem Einfluss sensibler Seelsorger oft der Fall ist, in entschiedenem Glauben zusammenleben und ihre Kinder aufs Beste zum christlichen Glauben hinführen.

Anmerkungen

1 Aus: Otto Hermann Pesch, Katholische Dogmatik aus ökumenischer Erfahrung. Band 2: Die Geschichte Gottes mit den Menschen. Ekklesiologie, Sakramentenlehre, Eschatologie © Matthias Grünewald Verlag der Schwabenverlag AG, Ostfildern 2010. www.verlagsgruppe-patmos.de

2 WA 10 II, 291 f.

3 Can. 1141–1150 CIC.

Franz Weber

Nicht ausgeschlossen, sondern aufgenommen, versöhnt und gesegnet

Für eine Pastoral der Wahrnehmung, Anerkennung und Begleitung von wiederverheiratet Geschiedenen

Eine veränderte Praxis der Kirche in der Begegnung mit Menschen, deren erste kirchlich geschlossene Ehe gescheitert ist und die in einer zweiten, gelingenden Partnerschaft und Ehe leben, ist heute mehr denn je ein Gebot der Stunde und eine Herausforderung für jede Seelsorgerin und jeden Seelsorger. Ich bin seit vierzig Jahren Priester und habe mich in ganz verschiedenen pastoralen Kontexten darum bemüht, Menschen in ihrer je eigenen Lebenssituation wahrzunehmen und ihnen als Seelsorger auch und gerade in der Erfahrung des Scheiterns nahe zu sein. Ich stelle als Pastoraltheologe in Bildungsveranstaltungen und Begegnungen auf persönlicher und gemeindlicher Ebene immer wieder fest, dass die Position des Lehramtes zu dieser Frage auch in kirchlichen Kernschichten, das heißt bei einem überwiegenden Teil derer, die nach wie vor mehr oder weniger regelmäßig am Leben der Kirche teilnehmen, auf Unverständnis stößt und vor allem bei direkt Betroffenen eine tiefe Enttäuschung auslöst. Als Gemeindepfarrer darf ich aber auch wahrnehmen, dass Paare es als Erfüllung ihrer tiefen Sehnsucht nach Heil und Versöhnung erfahren, wenn sie für ihre zweite Ehe den Segen Gottes zugesprochen bekommen und sich wieder von Neuem in die Gemeinschaft der Kirche aufgenommen wissen.

Alles vergebliche Liebesmüh? oder: Warum wir als Kirche nicht mehr glaubwürdig sind

Ich muss allerdings auch nüchtern feststellen, dass es inzwischen leider nur mehr vereinzelt vorkommt, dass sich auch wiederverheiratet Geschiedene, die bisher noch eine Bindung an die Kirche hatten, nach dem Zerbrechen ihrer Ehe überhaupt noch an ihren Pfarrer wenden. Sie wagen diesen Schritt meist nur dann, wenn sie in ihrem Umfeld einen Seelsorger persönlich kennen und sich von ihm verstanden fühlen oder von Gemeindemitgliedern ausdrücklich zu einer Kontaktaufnahme ermutigt werden. Der Großteil der Betroffenen hat längst durch immer wiederkehrende amtskirchliche „Klarstellungen" den Eindruck gewonnen, dass sie klar „kaltgestellt", von den zentralen Lebensvollzügen ausgeschlossen und von der Kirche abgeschrieben sind. Lehramtliche Beteuerungen, wiederverheiratet Geschiedene seien doch eingeladen, in anderer, nicht sakramentaler Form am Leben der Gemeinde teilzunehmen, gehen erfahrungsgemäß oft ins Leere. Der Großteil der direkt Betroffenen wendet sich innerlich von der Kirche ab, und nicht selten folgt dieser Entfremdung auch der formale Kirchenaustritt. Vielen Menschen, die noch getauft und gefirmt wurden, scheint es – oberflächlich gesehen – auch längst egal zu sein, was man in der Kirche über sie denkt und wie man mit ihnen umgeht. Sie treffen ihre eigenen Entscheidungen und nehmen zur Bewältigung ihrer

Lebenssituation professionelle Hilfe außerhalb der Kirche in Anspruch.
Aus manchen Seelsorgegesprächen aber wissen wir sehr wohl, dass der schrittweise oder plötzliche Abschied von der Kirche keineswegs schmerzfrei und klaglos erfolgt. Wenn Menschen nach der Trennung von einem vorher über alles geliebten Partner aus ihrem Lebenstraum von Liebe und Treue erwachen und mit der harten Wirklichkeit eines als gescheiterten Lebensentwurfes zurechtkommen müssen, stellen sich Selbstvorwürfe und Schuldgefühle ein, die wir als Seelsorger „um Gottes willen" nicht noch durch Verurteilungen kirchlicherseits verstärken dürfen. Wo bleibt hier der von Schuld befreiende Zuspruch der Kirche, die sich doch an der pastoralen Norm der Praxis Jesu orientieren soll, dessen Zuwendung vor allem auch gescheiterten Existenzen galt? Müssten wir als Seelsorger, die einen Gott des Lebens verkünden, Menschen nach einer ehrlichen Aufarbeitung ihrer vorangehenden Ehe nicht eher Mut zum Wagnis einer neuen Liebe und Ehe machen, als sie auf die schwere Sündhaftigkeit ihres Neubeginns in einer neuen Beziehung hinzuweisen? Was bewegt Menschen, wenn sie ein solches Wagnis eingehen? Die Sehnsucht nach Vergebung und Versöhnung, nach einem wieder gelingenden Leben, nach dem Segen Gottes für die neue Partnerschaft und eine neue Familie und nach einer vollen und auch sakramentalen Anbindung an eine Gemeinde, nach Zugehörigkeit zu einer größeren Gemeinschaft im Glauben und einer neuen Beheimatung in der Kirche sind bei nicht wenigen der direkt Betroffenen oft sehr stark da. Solche Sehnsüchte sind nicht Orte der Sünde, sondern der Gnade. Sie aufzusuchen und als Orte heilender Gottesbegegnung erfahren zu lernen ist Aufgabe kirchlicher Seelsorge, die durch keine noch so hilfreiche Therapie ersetzt werden kann.

Die Theologie hat in den letzten Jahrzehnten zu diesen und ähnlichen Fragen nicht geschwiegen. „Seit Ende der 60er Jahre reden wir auf Synoden und Symposien, bei Bildungsveranstaltungen und Kongressen, schreiben in Fachzeitschriften und Sammelbänden, sprechen über die verschiedenen Aspekte der pastoralen Situation und der theologischen Diskussion angesichts der wiederverheirateten Geschiedenen [...] Aber hat sich etwas geändert?" – So fragt Theodor Schneider im Vorwort zu einem von ihm im Jahre 1995 herausgegebenen Sammelband, in dem Theologinnen und Theologen aus ihrer jeweiligen Fachperspektive differenziert und pastoral verantwortungsbewusst zu dieser Frage Stellung nahmen.[1]
„Der Problemdruck", so fährt Schneider mit einem realistischen Blick auf die Wirklichkeit fort, „steigt an, die innerkirchlichen Auseinandersetzungen werden heftiger. Eine ständig wachsende Zahl von Männern, Frauen und Kindern ist von den Schwierigkeiten betroffen. Die Spannung wächst und wird zu einer Zerreißprobe, da einzelne Pfarrer – und auch Bischöfe – auf ortskirchlicher Ebene unterschiedlich mit der Frage der Gewissensentscheidung umgehen [...] Viele bedrängt die Einschätzung, dass die Glaubwürdigkeit der Seelsorge, ja der gesamten Kirche auf dem Spiel stehe."[2]
Fast zwei Jahrzehnte nach dieser realistischen Einschätzung steht die Glaubwürdigkeit unserer Kirche in dieser Frage für die meisten gar nicht mehr auf dem Spiel. Sie ist in der breiten Öffentlichkeit einfach verlorengegangen und vor allem in den Augen der Betroffenen auf den Nullpunkt gesunken. Neu ist, dass sich zurzeit in einem verstärkten Maß Priester zu Wort melden, die nicht nur alte Forderungen an das Lehramt wiederholen, sondern sich offen zu einer pastoralen Praxis im Umgang mit wiederverheiratet Geschiedenen bekennen, die im Widerspruch zur Lehre und zum allgemeinen

Recht der Kirche steht: „In unseren Gemeinden gehen wiederverheiratete Geschiedene mit unserem Einverständnis zur Kommunion und empfangen das Bußsakrament und die Krankensalbung. Sie sind tätig als Mitarbeiterinnen und Mitarbeiter im Pfarrgemeinderat, in der Katechese und in anderen Diensten.“ So steht es in einem Aufruf, der im Jahre 2012 von mehr als 200 Priestern und Diakonen des Erzbistums Freiburg unterschrieben wurde.[3] Auch in der österreichischen Pfarrerinitiative fordert eine große Anzahl von Priestern eine Abkehr von der bisherigen Praxis im Umgang mit wiederverheiratet Geschiedenen.

Dass solche Initiativen auch in inhaltlich anspruchsvollen Medien noch immer auf großes Interesse stoßen, zeigt sehr klar, dass viele Betroffene und ihre Angehörigen vielleicht doch noch insgeheim Hoffnungen und Erwartungen an die Kirche haben und dass dort, wo Seelsorgerinnen und Seelsorger bei den Menschen bleiben und sie auch und gerade dann begleiten, wenn Beziehungen scheitern, Ehen und Familien zerbrechen, aber auch Neuanfänge in Liebe und Partnerschaft Sinn stiften und neue Lebensfreude schenken, Kirche durchaus noch gefragt ist und christliche Gemeinde gerade durch die Annahme und Aufnahme von Menschen, die einen Neuanfang in ihrem Leben wagen, im besten Sinn des Wortes zu einem „Ursakrament“, zum Zeichen und Werkzeug der heilenden und erlösenden Zuwendung Gottes werden kann.

Die lehramtlich „klare Linie" – keine Lösung, sondern eine Verschärfung des Problems

Worum geht es eigentlich in den gegenwärtigen Auseinandersetzungen zwischen Lehramt und einer immer stärker werdenden Gruppe von Priestern und neokonservativen Laienbewegungen einerseits und den Seelsorgerinnen und Seelsorgern andererseits, die sich zu einem neuen Umgang mit wiederverheiratet Geschiedenen bekennen, deren Gewissensentscheidung zum Empfang der Sakramente respektieren und die Gemeinden dazu ermutigen, solchen Menschen Raum zur Mitarbeit in der Kirche zu eröffnen?

Es soll und darf nicht unterstellt werden, dass es denen, die auf die strikte Einhaltung der lehramtlichen Vorgaben bestehen, nicht auch um den Menschen geht. Man gewinnt aber nicht nur aus dem Inhalt, sondern vor allem aus dem Ton und der Art und Weise der Stellungnahmen den Eindruck, dass manche Vertreter der Hierarchie und des Klerus nie ein wirkliches Seelsorgegespräch mit wiederverheiratet Geschiedenen geführt und die Situation von Betroffenen wohl kaum sensibel wahrgenommen haben. Menschen fühlen sich, wenn sie dieser Art von Kirche begegnen, zutiefst unverstanden und ausgestoßen. Sie fühlen sich mit ihren Verletzungen und Enttäuschungen nicht angenommen und nicht ernst genommen, wenn sie von oben herab mit der Lehre der Kirche konfrontiert und schuldig gesprochen werden.

Worin das Dilemma von Seelsorgerinnen und Seelsorgern besteht, die ja nicht einfach nur leichtfertig die Lehre Jesu und das Kirchenrecht in Frage stellen wollen, sondern aus dem Geist des Evangeliums und im Blick auf die heilende Praxis Jesu den Menschen in Scheitern und Neubeginn nahe sein möchten, hat vor fast vier Jahrzehnten schon die Würzburger Synode klar und unmissverständlich zum Ausdruck gebracht, wenn es dort im Beschluss Ehe und Familie wörtlich heißt: „Angesichts der Not der Betroffenen finden Seelsorger in den geltenden kirchlichen Bestimmungen oft kein befriedendes Instrumentarium für pastorale Hilfe. Diese für viele unbefriedigende Situation drängte auf eine Lösung."[4] Die Synode sah sich damals nach heftigen, kontroversen, aber durchaus von großer pastoraler Sensibilität geprägten Debatten außerstande, ein mehrheitlich akzeptiertes Votum zu dieser heiklen Frage zu formulieren, ersuchte aber die Bischofskonferenz, „die dringend notwendige Klärung weiter zu betreiben"[5].

Es ist hinlänglich bekannt, dass diese Klärung trotz des Bemühens einzelner Bischöfe bis heute nicht geschehen ist. Im Gegenteil: Die Klärung dieser Frage sei längst erfolgt und Änderungen dürften nicht erwartet werden, wird von lehramtlicher Seite immer wieder betont. Weil auch immer mehr Priester sich auf diese „klare Linie" des Lehramtes berufen und in ihrer Pastoral konsequent danach vorgehen, während andere Seelsorger oft in unmittelbarer Nachbarschaft zu den Ersteren – im besten Sinn des Wortes – „Gnade vor Recht ergehen lassen" und offen und einladend auf geschieden Wiederverheiratete zugehen, kommt es zu folgenschweren Irritationen unter den Gläubigen. In manchen Gemeinden und Dekanaten ereignen sich Spaltungen und Konflikte, die letztlich auf dem Rücken und zum Schaden der eigentlich Betroffenen ausgetragen werden und diese und ihre Familien, aber auch andere in der Gemeinde immer mehr dem Leben der Kirche entfremden.

Das römische Lehramt und mit ihm eine zunehmende Zahl von Bischöfen reagieren zunehmend härter auf diesbezügliche „Übertretungen" von Seelsorgerinnen und Seelsorgern,

und manche von diesen werden, wenn hier nicht bald ein grundsätzlicher Umdenkprozess erfolgt, wohl auch mit Sanktionen zu rechnen haben, wenn sich der gegenwärtige Kirchenkurs weiter verhärtet. Wer als Seelsorger gerade in dieser sensiblen Lebensfrage nach seinem eigenen pastoralen Gewissen handelt und andere zu einer persönlichen Gewissensentscheidung ermutigt, gilt in manchen Teilen der Kirche heute bereits als „ungehorsamer Rebell", der der Einheit der Kirche schweren Schaden zufügt.
So fühlen wir uns, um es klar zu sagen, als Seelsorgerinnen und Seelsorger in unserem Bemühen, der Kirche gerade für Menschen in Situationen des Scheiterns und des Neubeginns eine menschenfreundliche und glaubwürdige Gestalt zu geben, vom Lehramt nicht verstanden und im Stich gelassen. Ist unter diesen Verhältnissen und mit diesen Vorgaben ein Dialog, wie er zumindest von einigen Bischöfen wieder erneut in Aussicht gestellt wird, überhaupt noch möglich und zielführend? Die Kluft, die die verschiedenen Positionen und pastoralen Handlungsweisen voneinander trennt, ist tief. Sie gleicht einem pastoralen Schisma, das schon jetzt schwerwiegende Folgen für das Glaubenszeugnis der Kirche in der Welt von heute hat.

Der Kirche ist das Hören und Sehen vergangen

Jeder Heilsdienst der Kirche, jede Form von Seelsorge beginnt mit der Wahrnehmung des Menschen in seiner konkreten Lebenssituation: „Freude und Hoffnung, Trauer und Angst der Menschen von heute, besonders der Armen und Bedrängten aller Art, sind auch Freude und Hoffnung, Trauer und Angst der Jünger Christi. Und es gibt nichts wahrhaft

Menschliches, das nicht in ihren Herzen seinen Widerhall fände."[6] Das hier in der Pastoralkonstitution des Konzils zum Ausdruck gebrachte Selbstverständnis von Kirche ist und bleibt für die gesamte Kirche verbindlich. Es beschreibt die Grundvoraussetzung und die Grundhaltung jedes pastoralen Dienstes. Der Blick für den Menschen, wie ihn das 2. Vatikanische Konzil einzuüben versucht hat, war von einer liebevollen Aufmerksamkeit für den konkreten Menschen bestimmt. Man kann dem Konzil weder Schwarzseherei noch Blauäugigkeit vorwerfen. Vor den Augen der Konzilsväter stand „die Welt der Menschen [...] mit der Gesamtheit der Wirklichkeiten, in denen sie lebt; die Welt, der Schauplatz der Geschichte der Menschheit, von ihren Unternehmungen, Niederlagen und Siegen geprägt"[7]. Dem Konzil ging es „um die Rettung der menschlichen Person [...]. Der Mensch also, der eine und ganze Mensch, mit Leib und Seele, Vernunft und Willen" stand im Mittelpunkt.[8]

Johannes Paul II. hatte diese zentrale Blickrichtung der Kirche in seiner ersten Enzyklika „Redemptor hominis" auf den Punkt gebracht, als er wörtlich schrieb: „Dieser Mensch ist der erste Weg, den die Kirche bei der Erfüllung ihres Auftrags beschreiten muss: er ist der erste und grundlegende Weg der Kirche, ein Weg, der von Christus selbst vorgezeichnet ist und unabänderlich durch das Geheimnis der Menschwerdung und der Erlösung führt."[9] Dieser Mensch, wie ihn das Konzil sieht, scheitert immer wieder: „Als schwacher Mensch und Sünder tut er oft das, was er nicht will, und was er tun wollte, tut er nicht. So leidet er an einer inneren Zwiespältigkeit, und daraus entstehen viele und schwere Zerwürfnisse ..."[10] Jesus von Nazaret ist nach dem Zeugnis der Evangelien dieser Realität des an sich selbst und seinen Mitmenschen scheiternden und gescheiterten Menschen nicht aus dem Weg gegangen. Von ihm, dem Sohn Gottes, sagt die Pastoralkonstitution des Konzils, er habe sich „mit jedem Menschen vereinigt [...]. Mit Menschenhänden hat er gearbeitet [...], mit einem menschlichen Herzen geliebt“[11].

Gläubige Menschen, die sich in ihrer Ehe von der Liebe Gottes getragen fühlten und mit gutem Willen und besten Absichten ihre Liebe und Treue zum Partner zu leben versuchten, die aber aus verschiedenen Gründen mit diesem Anspruch gescheitert sind, scheinen nach einem langen Ringen oft zu einem persönlichen Glaubensvollzug zu finden, in dem sie Jesus Christus in der Tat als einen Bruder erleben, der sie mit menschlichem Herzen liebt, versteht und annimmt. Von der Kirche fühlen sie sich aber ausgeschlossen und verstoßen. Ein menschlicher Christus und eine unmenschliche Kirche? Ist das eine plakativ tendenziöse Gegenüberstellung, die niemandem, am allerwenigstens den Betroffenen selbst, weiterhilft, oder die Überzeugung vieler, die sich gezwungen sehen, ihr Heil außerhalb der Kirche zu suchen und zu finden? Wenn wir als Kirche wirklich im Auftrag Jesu zu den Menschen gehen und ihre Lebensnot und Lebensfreude mit ihnen teilen wollen, führt kein Weg an der sensiblen, aufmerksamen Wahrnehmung dessen vorbei, was Menschen eben gerade im Zerrüttungsprozess ihrer Ehe durchlebt haben, welcher Schmerz und welche Enttäuschung da aufbrechen, wie ohnmächtiger Zorn und Hoffnungslosigkeit, aber auch Scham und Schuldgefühle von einem Menschen Besitz ergreifen und wie groß die Sehnsucht danach ist, nach einer Zeit der Krise mit einem anderen Lebenspartner wieder ganz neu zu beginnen, glücklich zu sein und dieses Glück unter den Segen Gottes und der Kirche zu stellen. Ohne den Schritt des Sehens, des empathischen Hinhörens auf das, was Menschen bewegt, ohne die „Wahr-nehmung“ von „Freude und Hoffnung, Trauer und Angst [...] der Bedrängten aller Art" gibt es keine glaubwürdige Pastoral, die vor den Augen Gottes und vor dem Anspruch des Evangeliums bestehen kann.

Lebenszeugnisse von Betroffenen als Anstoß zu einer Umkehr der Kirche

Die Beiträge dieses Buches zeugen zum einen von einer Anwaltschaft der Theologie für wiederverheiratet Geschiedene. Hier wird das, was Lehre der Kirche ist, nicht einfach leichtfertig und leichtsinnig kritisiert, sondern pastoral verantwortungsbewusst in Frage gestellt. Was seit Jahren in den verschiedenen theologischen Disziplinen diskutiert und reflektiert wurde, bedarf der Weiterführung und Vertiefung. Nicht nur die Pastoraltheologie, sondern auch Moraltheologie und Kirchenrecht haben es gelernt, den Betroffenen ihr Ohr zu leihen. Den Vertretern des Lehramtes wird wohl nicht zu Unrecht der Vorwurf gemacht, dass sie immer schon wissen und verordnen, was zu tun ist, bevor sie noch wahr- und ernst genommen haben, was Menschen in solchen Lebenssituationen zutiefst bewegt, erschüttert, umtreibt, was sie ersehnen und von der Kirche erwarten.
Aus der Sicht der psychosomatischen Medizin und Psychotherapie[12] wird mit Recht betont, dass ein angemessener Umgang mit wiederverheiratet Geschiedenen nicht nur eine Frage der Barmherzigkeit, sondern auch der Gerechtigkeit ist, durch die auch jene in der Kirche zu ihrem Recht kommen, deren Leben Brüche erlitten hat und die nach Heilung und Heiligung ihrer Beziehungen verlangen. Die Betonung der Gewissensentscheidung des Einzelnen z. B. zum Empfang der Sakramente und der Entscheidung des Seelsorgers

für den „Einzelfall“ behält ihre pastorale Bedeutung. Der Tübinger Pastoraltheologe Ottmar Fuchs hat schon vor Jahren darauf hingewiesen, dass es sich bei den wiederverheiratet Geschiedenen „um eine anwachsende Zahl von Menschen handelt, und vor allem, dass diese Betroffenengruppe inzwischen eine kollektive Größe in der Kirche darstellt, die mit dem, was sie erlebt und erleidet, eine spezifische Kompetenz der Glaubenserfahrung innerhalb der Kirche einnimmt“[13]. Besitzen also nicht auch wiederverheiratet Geschiedene durch ihre Erfahrungen von Brüchen, Scheitern und Schuld, aber auch von dem Getragensein durch Gottes Präsenz in den Krisen des Lebens, einen besonderen Glaubenssinn? Wir dürfen sie nicht nur aus Barmherzigkeit und Gerechtigkeit, sondern auch deshalb nicht aus der Kirche und unseren Gemeinden ausziehen lassen, weil sie uns theologisch und spirituell etwas sehr Wesentliches über die Schöpfungswirklichkeit Mensch, über Fragmentarität und Scheitern und über die tiefe Sehnsucht nach Heil und Heiligung zu sagen haben.
Die Lebenszeugnisse von Betroffenen, wie sie uns für dieses Buch und seine Leserinnen und Leser anvertraut wurden, eröffnen einen Einblick in Lebenserfahrungen von einzelnen Menschen. Wer sie unbefangen liest, sie wahr-nimmt und auf-nimmt und sie auf sich wirken lässt, wird selbst zum tief Betroffenen. Da haben es Menschen in ihrem Leben und in ihrer Liebe und Ehe fürwahr nicht leicht gehabt. Und sie haben es sich auch nicht leicht gemacht, weder in ihrer ersten Ehe noch in ihrem Entschluss, sich vom Partner zu trennen und nach Jahren der Einsamkeit, der Schuldgefühle und der Zweifel an sich selbst wieder eine Beziehung zu wagen.
Kann es verwundern, dass Menschen in solchen Situationen mit jemandem reden wollen, der sie nicht verurteilt, sie nicht an Ideale erinnert, die sie selbst liebend gerne verwirklicht

hätten, sondern sie zuhörend und annehmend auffängt? Es ist mehr als verständlich, dass gerade gläubige und kirchlich engagierte Menschen sich nach dem Scheitern ihrer Ehe aus dem Gemeindeleben zurückziehen. Wenn es dort niemand gibt, der ihnen behutsam „nachgeht", den Kontakt hält und ihre Distanz respektiert, dann werden die Brücken zur Kirche abgebrochen, vielleicht für immer. Die Zeuginnen und Zeugen sprechen offen davon, wie sehr sie als Hilfe- und Ratsuchende von Priestern enttäuscht waren, wenn diese sie einfach nicht verstehen wollten, sondern sie nur darauf aufmerksam machten, dass ihr Leben im Widerspruch zur Lehre der Kirche steht.

Die seelsorgliche Erfahrung zeigt: Schuld, die Menschen in ihrer Ehe auf sich geladen haben, wird meist nicht verdrängt. Gerade deshalb ist auch die Sehnsucht nach Vergebung und Versöhnung so groß und tief. Frauen und Männer irritiert es vollkommen, wenn ihnen gesagt wird, dass sie in ihrer gelingenden und glücklich machenden zweiten Ehe im Zustand schwerer Sünde leben und Ehebrecher sind. Solche Aussagen sind für Menschen von heute unzumutbar und für Eheleute, die in ihrer Beziehung glücklich sind, einfach nicht nachvollziehbar.

Menschen, die etwas „gutmachen" und sich mit ihrem bisherigen Leben versöhnen und eine zerbrochene Beziehung loslassen wollen, würden gerade eine sakramentale „Los-sprechung" dringend brauchen, die ihnen die Gewissheit gibt, dass auch Gott ihnen vergeben hat. Sie sehnen sich nach kleinen und großen Ritualen der Versöhnung und nach Lebenszeichen für ihre neue Ehe und Familie. Die Verweigerung solcher Zeichen geht, wie die Betroffenen bekennen, sehr tief. Der Ausschluss vom Kommunionempfang schlägt vor allem in Menschen, die vorher eine persönliche Beziehung zur

Eucharistie hatten, eine tiefe Wunde und führt häufig dazu, dass Menschen sich selbst von der Kirche und aus dem Gemeindeleben ausschließen,

Ob der Glaube an einen guten Gott bei manchen der Betroffenen einer religiös kirchlichen Gleichgültigkeit oder einer verbitterten Gottlosigkeit weicht, geht aus den Berichten nicht hervor. Diese sind aufs Ganze gesehen gewiss nicht repräsentativ, weil hier durchwegs Menschen zur Sprache kommen, die sich auch in ihrer neuen Lebenssituation eine religiöse Basis und oft auch eine Beziehung zum Leben der Kirche bewahren. Weil sie aber mit der Kirche und ihrer offiziellen Position nicht klarkommen, versuchen sie wenigstens mit Gott im Reinen zu sein. Und sie erfahren seine Gegenwart in ihrem Leben. Der Wunsch nach Seelsorge, die oft, wie ein Betroffener bekennt, „die letzte Instanz zwischen Hoffnung und Hoffnungslosigkeit" ist, scheint stärker zu sein, als man gemeinhin annimmt, bleibt aber häufig unerfüllt. Was bei vielen auch – eingestanden oder uneingestanden – bleibt, ist die Sehnsucht, doch auch mit dem neuen Partner und der neuen Familie zur Gemeinschaft der Kirche zu gehören. Eine Frau schreibt, sie sei zur schmerzlichen Erkenntnis gekommen, dass sie nach dem Scheitern ihrer Ehe und ihrer Wiederheirat nicht nur ihre emotionale Heimat, sondern auch die Solidarität ihrer Kirche verloren habe. Welche Wirkung üben solche Lebenszeugnisse, an deren Ehrlichkeit und Wahrhaftigkeit wohl nicht zu zweifeln ist, auf Seelsorgerinnen und Seelsorger und auf jene aus, die als Hirten an leitender Stelle der Kirche auch Verantwortung für das Heil der Verwundeten und die Heimholung der Davon(ge)laufenen und deshalb auch für dringend Not-wendende Veränderungen in der pastoralen Praxis der Kirche tragen?

Wenn SeelsorgerInnen den Nöten der Menschen gehorsam sind, Lernschritte wagen und Segen spenden …

dann gewinnen wiederverheiratet Geschiedene wieder Vertrauen in die Weggefährtenschaft der Kirche und wollen und brauchen sich nicht von ihr zu verabschieden. Doch dazu bedarf es einer Bekehrung der Kirche in ihrer Gesamtheit, ihrer Gläubigen, ihrer Gemeinden, ihrer Seelsorgerinnen und Seelsorger und auch derer, die in dieser Kirche eine lehramtliche Verantwortung für das Heil der Menschen haben. Es ist äußerst bedenklich, ja man könnte und müsste vielleicht sogar sagen, es ist pastoral unverantwortlich und sündhaft, wenn die Frage des seelsorglichen Umgangs mit wiederverheiratet Geschiedenen zum innerkirchlichen Zankapfel wird, mit dem die Vertreterinnen und Vertreter der verschiedenen kirchlichen Richtungen aufeinander werfen. Geht es darum, zu entscheiden, welcher Bischof oder Theologe nun Recht hat und der Kirche gehorsam ist und welcher Pfarrer das Richtige oder Falsche tut? Oder müssen wir nicht endlich auf der Basis des Evangeliums und vielleicht auch im Blick auf die Erfahrungen anderer christlicher Kirchen darüber ins Gespräch kommen, wie die wiederverheiratet Geschiedenen in der Kirche – im besten Sinn des Wortes – auch zu ihrem Recht kommen? Wahrscheinlich besteht der erste und entscheidende Schritt der Umkehr in einer Bekehrung und Hinwendung zu den Menschen, die als wiederverheiratet Geschiedene ganz zur Kirche gehören wollen und die sich nicht mit einem Sonderstatus an ihrem Rand zufrieden geben. Wir, die wir als Seelsorgerinnen und Seelsorger solche Menschen begleiten, wollen uns mit unseren Erfahrungen innerhalb der Kirche zur Stimme derer machen, die offensichtlich nicht mehr gehört werden und die auch schon weithin verstummt sind und der Kirche enttäuscht den Rücken gekehrt haben. Ist es nicht höchst problematisch, wenn ein Teil des Klerus und gerade auch jüngere Priester mit der Position des Lehramtes kein Problem haben? Kann das nicht eine Problemanzeige dafür sein, dass einem Teil unserer Kirche in der Tat das Hören und Sehen, das Sich-hinein-Denken und Hinein-Fühlen in konkrete Lebenssituationen vergangen ist? Wäre dieses Hineinhorchen nicht auch ein wichtiger Aspekt des kirchlichen Gehorsams und ein Zeichen dafür, dass wir als Kirche in der pastoralen Tat ein Herz für die Menschen haben?

Wenn es um diese entscheidenden Fragen kirchlicher Glaubwürdigkeit geht, ist, um mit Ottmar Fuchs zu sprechen, nicht ein pastoraler Kompromiss, sondern eine kompromisslose Pastoral mit wiederverheiratet Geschiedenen gefordert. Doch der tiefste Beweggrund für die theologische Notwendigkeit einer Bekehrung der gesamten Kirche und ihrer Gemeinden und für die Veränderung der pastoralen Praxis hat mit Gott selbst zu tun: „In der Pastoral geht es gnadentheologisch um die Annahme der Menschen, so wie sie sind. Diese Annahme bedeutet nicht einfach Einverständnis mit deren Sosein, sondern die vom Sosein nicht bedingte Anerkennung des Daseins des Menschen als zwischenmenschlicher Ausdruck des voraussetzungslosen Gewolltseins von Gott her. Die ganze Gemeinde braucht diese Hoffnung, dass die wiederverheirateten Geschiedenen dazugehören und in der Gnade Gottes aufgenommen sind.“[14]

Anmerkungen

1 Theodor Schneider (Hg.), Geschieden, wiederverheiratet, abgeschrieben?: Antworten der Theologie, Freiburg, Basel, Wien, 1995, hier 7.
2 Ebd.
3 Vgl. dazu: Der Dialog der Priester, in: Christ in der Gegenwart 64/25 (2012) 280.
4 Gemeinsame Synode der Bistümer in der Bundesrepublik Deutschland. Beschlüsse der Vollversammlung, Freiburg – Basel – Wien 1976, 452.
5 Ebd.
6 2. Vatikanisches Konzil, Pastoralkonstitution. Die Kirche in der Welt von heute, n. 1.
7 Ebd. n. 2.
8 Ebd. n. 3.
9 Enz. Redemptor homnis, n. 14.
10 Pastoralkonstitution, n. 10.
11 Ebd. n. 22.
12 Vgl. den Beitrag von Roswitha Dockendorff in diesem Buch.
13 Ottmar Fuchs, Nicht pastoraler Kompromiß, sondern kompromißlose Pastoral! In: Schneider, Geschieden, wiederverheiratet, abgewiesen?, 322–341, hier 335.
14 Fuchs, Nicht pastoraler Kompromiß, sondern kompromißlose Pastoral!, 339.

Herausgeber und Autoren

Roswitha Dockendorff
Dr. med., geboren 1960, ist Ärztin für Psychosomatische Medizin, Psychotherapie und Psychiatrie, Psychoanalytikerin und in eigener Praxis tätig.

Erich Garhammer
Dr. theol., geboren 1951; Professor für Pastoraltheologie an der Universität Würzburg; Schriftleiter der Zeitschrift „Lebendige Seelsorge“ und Mitherausgeber der Reihe „Theologie und Praxis der Seelsorge“.

Gerd Häfner
Dr. theol., geboren 1960, Professor für Biblische Einleitung an der Ludwig-Maximilians-Universität München.

Franz Harant
ist Pfarrer und Ehe- und Familienseelsorger der Diözese Linz sowie Dipl.-Ehe-, Familien- und Lebensberater im Zentrum BEZIEHUNGLEBEN.AT

Otto Hermann Pesch
Dr. theol., Dr. h. c., geboren 1931; emeritierter Professor für Systematische Theologie / Kontroverstheologie am Fachbereich Evangelische Theologie an der Universität Hamburg.

Thomas Ruster
Dr. theol., geboren 1955, verheiratet, vier Kinder; seit 1995 Professor für Katholische Theologie und ihre Didaktik an der Universität Dortmund.

Eberhard Schockenhoff
Dr. theol., geboren 1953, Professor für Moraltheologie an der Katholischen Fakultät der Universität Freiburg; Mitglied der ökumenischen Dialogkommission „On church unity“ und des Deutschen Ethikrats.

Thomas Schüller
Dr. theol., geboren 1961, Professor für Kirchenrecht und Direktor des Instituts für Kanonisches Recht an der Westfälischen Wilhelms-Universität Münster.

Franz Weber
Dr. theol., geboren 1945; Mitglied der Comboni-Missionare; er ist Pfarrer in Innsbruck und leitet einen Seelsorgeraum von drei Pfarreien; em. Professor für Interkulturelle Pastoraltheologie und Missionswissenschaft an der Universität Innsbruck; Mitherausgeber der Reihe „Theologie und Praxis der Seelsorge“.

Bibliografische Information der Deutschen Nationalbibliothek
Die Deutsche Nationalbibliothek verzeichnet diese Publikation in der Deutschen Nationalbibliografie; detaillierte bibliografische Daten sind im Internet über ‹http://dnb.ddb.de› abrufbar.

www.echter-verlag.de
Umschlaggestaltung: wunderlichundweigand.de
Umschlagfoto: © ohneski/photocase.com
Satz: Hain-Team, Bad Zwischenahn (hain-team.de)
Druckerei: CPI – Clausen & Bosse, Leck

Echter Verlag
ISBN 978-3-429-03539-6 (Print)
ISBN 978-3-429-04659-0 (PDF)
ISBN 978-3-429-06068-8 (ePub)

Patris Verlag
ISBN 978-3-87620-386-7